Y GRI UNIG

gan

ENNIS EVANS

GWASG GOMER
LLANDYSUL
1975

Argraffiad Cyntaf – Rhagfyr 1975

SBN 85088 334 2

ARGRAFFWYD GAN J. D. LEWIS A'I FEIBION CYF.
GWASG GOMER, LLANDYSUL

I

Edrychais allan drwy ffenestri'r car ar huddygl y nos. Rhengoedd o lampau oren yn disgleirio ar hyd y ffordd a'r glaw'n troelli'n wyllt fel haid o biwiaid yn syth oddi tanynt. Talpiau o oleuni clyd yn y tai, a sŵn olwynion y car yn agor grynnau yn y glaw yn peri i minnau deimlo'n gysurus hefyd.

"Rho dy droed i lawr ar y sbardun 'na Dad er mwyn inni gael cyrraedd Bangor yn reit sydyn."

"O, 'does dim pwynt gyrru'r car yn ormodol yn y tywydd yma, Ceri, ond beth bynnag, mi fyddwn ni yno mewn 'chydig bach rŵan. Wyt ti'n gyffyrddus yn y sêt gefn 'na, dywed ?"

"Ydw, rydw i'n iawn diolch."

Trôdd Mam ei phen ac edrych arnaf yn amheus fel pe bawn yn bechadures fawr a oedd newydd ddweud y celwydd mwyaf yn y byd.

"Mi fedra i roi'r lamp ddarllen ar fy nglin os oes arnat ti eisiau, yn lle dy fod ti'n eistedd yna fel Florence Nightingale. Yli, rho hi i mi."

"Wnei di gymryd y pedwar bag 'ma, a'r sychwr gwallt, a'r bocs bwyd a'r bocs llyfrau hefyd os gweli'n dda ? Wedyn gyda bach o lwc, mi fydda' i'n gallu symud gewyn !"

"Paid â chwyno ngeneth i. Cofia mai ti oedd yn mynnu pacio'r holl sothach 'na, ond pam ar wyneb y ddaear mae arnat ti eisiau nhw i gyd, dydw i ddim yn gw'bod Ceri, nag ydw'n wir."

"Yr un hen gân gron a oedd gan Mam o hyd, er ei bod, mewn gwirionedd, wrth ei bodd yn paratoi popeth cyn imi fynd i'r Coleg, ac yn atgoffa 'Nhad byth a beunydd bod yn rhaid iddo newid ei stem yn y pwll ar y diwrnod mawr hwn. Oedd, yr oedd popeth yn newid pan oeddwn yn gadael Maesgwyn ac yn mynd i Fangor.

Wyt ti'n cofio sut yr oeddet yn ei deimlo'r amser yma y llynedd ?

O, yr oedd arna' i ofn, a dyna'r gwir. Ofn gadael fy rhieni. Ofn gadael Maesgwyn. Ofn gwneud ffrindiau newydd. Ofn y byddai'r gwaith yn rhy ddyrys imi. Ofn byw mewn byd newydd. Ofn na fyddwn yn gallu cyd-dynnu gyda Rhiannon Rees a Mavis Puw, myfyrwyr a oedd, fel fi, yn astudio'r Gymraeg, ac a oedd yn cyd-letya gyda mi yn nhŷ Mrs. Watkins, neu "Hafina" fel y'i bedyddiwyd hi gennym o barch i'w phrif ddiddordeb. Ond buan y rhisglodd yr ofn wrth i'r tair ohonom grafu'r masg di-gymeriad oddi ar ein gilydd.

Sgwrsio tan oriau mân y bore, ac yn gorfod codi am wyth o'r gloch ac edrych ar y bacwn a'r ŵy'n llithro ar ein platiau. Hafina'n clebran pymtheg y dwsin yn ei gŵn-wisg las byglyd, a hen staen te fel gwe ar un o'r rhosod pinc a oedd arni. Ei gwallt wedi'i dorri gyda siswrn rhy eiddgar a dotiau bach o fardon yn glynu yn ei saim. Emlyn, ei phlentyn bach chwe mlwydd oed yn eistedd ar y mat yn ei byjamas ac yn pigo'i drwyn wrth lyfu'r marjarïn oddi ar ei dôst.

Felly, nid oedd yn rhyfedd o gwbl bod y tair ohonom yn dianc oddi wrth y bwrdd brecwast i'n llofft bob bore ac yn gwneud panad o goffi a dartio am y tun bisgedi. Rhiannon a fi'n eistedd ar erchwyn ein gwelyau gan edrych ar Mavis yn eistedd i fyny mor syth â phe bai hi mewn capel ar ymyl y gadair siglo gan rwystro iddi siglo o gwbl. Y ddwy ohonom yn aros i'w gweld yn gwylltio unwaith eto. Edrych arni'n goleuo matsien fel dyn a thanio sigaret, ac yna'n newid ei meddwl ac yn dwrdio'r bywyd allan ohoni yn yr hen wydr peint.

6

"Wel, dydw i ddim yn gweld pam na fedrith hi roi bwyd gwell inni, 'chos Duw a ŵyr ein bod ni'n talu mwy na digon amdano fo. Ond bob bore, ie bob bore, mae'r bwyd a Hafina ac Emlyn yn ddigon i godi cyfog ar fochyn. Mi dd'weda' i wrthi hi 'fory os na bydd petha'n well."

"O, paid â phonsio Mavis—wnaiff Hafina byth newid, felly dyna fo. Waeth inni beidio â gofyn am drwbwl, na waeth? Meddylia am y disgo heno yn lle dy fod ti'n mwydro dy ben am Hafina. Gelli di fentro y bydd 'na ddigon o dalent yno."

"Bobl bach, Rhiannon, sut y medri di fod mor ddi-hid am bopeth dywed? 'Dwyt ti ddim yn meddwl am ddim byd, dim ond bechgyn o hyd. Mi wyt ti a Ceri'n bâr iawn efo'ch gilydd, 'chos 'dach chi ddim yn poeni am affliw o ddim, just cymryd bywyd fel y daw o."

"Mi faswn i'n licio pe bai hynny'n wir," meddwn i, gan feddwl pa mor braf oedd bywyd i Rhiannon a oedd yn gallu'i dderbyn gyda'i breichiau'n agored, a gwenu arno o hyd, fel rhyw fam yn croesawu'i phlentyn wrth ei weld yn rhedeg tuag ati. Edrychais arni yn ei gŵn-wisg denau glaerwen gyda blodau bychain pinc wedi'u brodio'n llyfn arni, yn eistedd ar y gwely gan frwsio'i gwallt hir du'n hamddenol, fel petai ganddi hi'r holl amser yn y byd i wneud hynny, a hynny'n unig. Oedd, yr oedd gan Rhiannon ddigon o reswm dros wenu.

Siawns y byddai hi'n dal i wenu hyd yn oed petasai wedi gorfod ymadael â'r Coleg ar ddiwedd ei blwyddyn gyntaf, fel y bu'n ofynnol i Mavis ei wneud oherwydd bod ei mam yn wael. Druan o Mavis, hefyd. Gobeithio y daw hi'n gweld ni, gan na fydd pethau'r un fath y flwyddyn hon heb ei chlywed yn ceisio taro'r maen i'r wal am ryw-beth neu'i gilydd o hyd, ac yn blino'i hun a phawb arall wrth wneud hynny. Ond dyna fo, mi gaiff Rhiannon a fi ddigon o hwyl, ac mi fydd Marc ym Mangor, a dyna'r peth pwysicaf oll.

Mi oedd hi'n bwrw glaw y noson honno hefyd pan gyfarfûm â Marc mewn dawns fawreddog yn Neuadd y Bechgyn. Cofiaf bod y tair ohonom yn wlyb diferol pan gyrhaeddom y ddawns, eithr nid oedd hynny'n mynd i amharu dim ar fwynhad Rhiannon, a dawnsiodd yn ei ffrog hir binc gydag ysmotiau pinc tywyllach arni lle'r oedd y glaw wedi gosod ei stamp arbennig ei hun, tra eisteddai Mavis a fi wrth fwrdd bach yn y gornel a theimlo'n oer yn ein ffrogiau newydd.

"Hei ! Be' ddiawl ydach chi'ch dwy'n ei wneud yn breuddwydio'n y fan yna ? Mi fuasa' rhywun yn meddwl wrth edrych arnoch chi bod 'na ryfel newydd gael ei gyhoeddi ! Edrycha arnyn nhw Marc, edrycha, mewn gwirionedd, mae'r ddwy ohonyn nhw'n edrych mor llipa â thorth o fara sy wedi bod allan yn y glaw ers rhyw ddwyawr, myn diawl !"

"Wel o leia', dydyn ni ddim yn wyneb galed nac yn ceisio dangos ein hunain."

"O, olreit, Miss Mavis Ffroenuchel—tyrd i gael dawns fach efo fi rŵan iti gael ysgwyd y glaw oddi ar dy ddillad. Ceri, dyma Marc,—Marc Reynolds."

Cododd Mavis fel pyped ar orchymyn pypedwr, ac yr oedd yn rhaid imi gyfaddef y buaswn innau hefyd wedi rhoi'r byd am gael dawnsio gyda Dei Richards. Gwenodd Marc yn haerllug-drugarog arnaf fel pe bai wedi darllen fy meddwl.

"Wyt ti eisiau rhywbeth i'w yfed cyn dawnsio Ceri ?"

"O, rym a sudd oren os gweli'n dda."

"Gyda rhew ?"

"Wrth imi edrych ar Marc yn sefyll yn f'ymyl, sylweddolais unwaith eto pa mor ynfyd ydoedd bechgyn. Dyna lle'r oeddwn i mewn ffrog wleb, a'm gwallt syth golau'n glynu'n ddi-sbonc at fy mhen, yn edrych ar y neuadd enfawr hon a blodau a thinsel o bob lliw a llun yn ei haddurno, a phawb mewn dillad crand, a'r unig beth a feddyliai'r bachgen hwn amdano oedd lwmp o rew.

"Un a hanner, plïs, un mawr ac un bach."

Mae o'n dipyn o bisin hefyd, chwarae teg, er nad oes ganddo hanner cymaint o hunan-hyder â Dei. Ond pwy sydd eisiau bod mor wyneb-galed â hwnnw?

"Be' ddigwyddodd i'r hanner arall?"

"We-el, mae'n rhaid ei fod o wedi toddi yn y gwres mawr 'ma."

Chwarddodd y ddau ohonom, a beth bynnag oedd hynt y rhew yn y gwydr, yn sicr yr oedd y rhew wedi'i dorri rhyngom ni'n dau.

Dawnsio am oriau. Cerdded gyda mi adref. Dyna drueni nad oeddwn yn byw rhyw bum milltir oddi wrth y Neuadd, er mwyn inni gael cyd-gerdded fel hyn am oriau eto. Ond gwthiodd y tŷ sbeitlyd ei hun tuag ataf. O, mi oedd hi'n anodd meddwl am Hafina'n awr, ac edrychai'r tŷ'n ddieithr ac yn oeraidd, fel pe bawn yn gwrthod sylweddoli fy mod wedi cyrraedd adref mewn gwirionedd.

"Wnes i 'rioed feddwl y buaswn i'n ddiolchgar 'mod i'n byw mewn Neuadd."

"Petaset ti'n gweld Hafina mi fuaset ti'n dweud hynny ganwaith drosodd."

"Pwy ydy Hafina—y letywraig?"

"Ia, a hen bitsh ydy hi hefyd. Mae hi'n cael hyd i ryw esgus er mwyn crafu asgwrn gyda ni bob dydd."

"Mae'n rhaid ei bod hi'n hen bitsh felly os ydy hi'n gas gyda *thi*."

Cydiodd ynof yn dynnach ac fe'n rhybuddiwyd gan ei lygaid tywyll am y gusan a oedd i ddilyn. Cyffyrddodd ei wefusau'n ysgafn â'm gwefusau innau gan bwyso'n

9

gadarnach, gadarnach o hyd. Ystwyriodd ias o bleser a
rhyw gynhesrwydd gogleisiol drwy fy nghorff wrth iddo
fy nghofleidio mor dynn hyd nes y gallwn deimlo fy
mronnau'n cael eu gwasgu'n erbyn ei gorff ef. Rhedais
fy mysedd trwy ei wallt tywyll, cyrliog, a rhwbiais ei
ysgwyddau'n araf-araf gan deimlo'r gwres a oedd yn ei
gorff. Am un eiliad fer teimlais fel pe bawn wedi colli fy
holl anadl, ond fy mod yn dal i anadlu heb imi fod yn
ymwybodol o hynny.

"'Roedd honna'n dda, Cer."

"Paid rŵan Marc," meddwn gan dynnu'i law'n ysgafn
oddi ar fy mron. Rhuthrodd f'anadl yn ei ôl yn gyflym,
yn rhy gyflym, fel pe bawn ond yn gallu anadlu i mewn,
a bod fy ngwynt yn mynd ar goll rhywle yng ngwaelod
fy ngwddf wrth imi geisio anadlu allan.

"Mae'n rhaid imi fynd rŵan, neu mi fydd Hafina'n
dechrau trampio ar hyd y landin i edrych lle'r ydw i."

"Ceri druan ! Ond ddôi di allan gyda fi nos yfory—
o leia' mi gei di wared o Hafina am dipyn bach beth
bynnag !"

"Rydw i'n dechrau meddwl mai llathen o'r un brethyn
wyt ti â Hafina !"

Chwarddodd yn ddistaw gan edrych i mewn i fyw fy
llygaid fel pe bai'n ceisio tynnu rhyw rin allan ohonynt.
Blinciais ar bwrpas.

"Ceri ! Ceri ! Tyrd â'r sychwr gwallt 'na allan efo ti.
Ceri ! Wyt ti'n clywed ?"

"Be ?"

Ysgydwais fy mhen a sylweddolais bod fy meddwl wedi
cyrraedd Bangor o'm blaen.

"Tyrd rŵan Ceri, mae ar dy dad a fi eisiau cyrraedd
adre' heno cofia."

II

"O ! helo Mrs. Wilson bach,—dewch i mewn ar unwaith—a Mr. Wilson hefyd. Neis iawn eich gweld chi unwaith eto, dewch i mewn da chi. Gwyliwch y stepiau 'na Ceri 'chos maen' nhw'n llithrig ar ôl cawod o law. 'Does arnon ni ddim eisiau i chi dorri'ch coes, nagoes Mrs. Wilson ?"

Bobl bach, mi oedd Hafina'n gwiso'i masg gorau heno, ac felly nid oedd yn rhyfedd bod Mam yn dweud ei bod hi'n wraig iawn yn y bôn. Ond fel rheol, cuddiwyd y bôn clodwiw hwn gan orchudd o haearn sbaen gyda nodwyddau pigog ynddo a gwenwyn yn chwistrellu allan ohonynt yn union fel rhyw Dwrch Trwyth.

Clywais yr aroglau oeraidd, llychlyd yn y lobi yn cosi fy nghroen yn union fel pe bai Hafina wedi bod yn ysgwyd matiau ar ganol y llawr. Erbyn hyn mor bell oedd arogl solet y cŵyr ar deils coch y lobi ym Maesgwyn.

"Gawsoch chi wyliau da, Ceri ? Mynd yn rhy sydyn mae'n siwr."

"Do, mi aethon nhw'n andros o sydyn, ac mewn gwirionedd, fedra' i ddim meddwl 'mod i wedi bod oddi yma ers rhyw dri mis. Ydy Emlyn yn iawn, Mrs. Watkins ?"

"Sblendid, diolch. O, mae o'n fachgen bach da, chwarae teg. Mae'n siwr y gwnewch chi weld 'i fod o wedi tyfu lot mewn tri mis."

"Be' ydy' i oed o rŵan, Mrs. Watkins ?" meddai Mam gan geisio swnio fel pe bai ganddi ddiddordeb mawr ynddo.

"Chwech a hanner, cofiwch. Duwcs annwyl, mae amser yn mynd yn gyflym. Ond peidiwch â gadael i mi'ch rhwystro chi, ewch â'ch paciau i'r llofft rŵan. Mae'n rhaid bod Mr. Wilson wedi mynd yn barod—call iawn ynte—cael gwared o ni ferched."

"Wel, mi oedd hi'n neis iawn eich cyfarfod chi eto, Mrs. Watkins."

"A chi Mrs. Wilson fach. Oedd wir. Rhaid imi fynd rŵan 'chos mae'r tegell yn chwistlo'i ben i ffwrdd, felly, da boch chi rŵan. Mi wna'i eich gweld chi y tymor nesa', mae'n siwr."

"Dyna ni, Mrs. Watkins. Tyrd yn dy flaen rŵan Ceri."

Cerddais i mewn i'r llofft a syllu ar bentwr anurddasol o fwydydd a llyfrau ar ganol fy ngwely.

"Wel Huw, y ffŵl. Pam ar y ddaear rwyt ti wedi tynnu'r bwyd 'na allan o'r bocs ar ôl i fi a Ceri fod yn brysur yn rhoi popeth ynddo'n daclus y pnawn 'ma ?"

"O, dim ots Mam. Fydda' i ddim dau funud yn ei roi o'n ôl, wir."

"Chi ferched sy' ar fai, fel arfer. 'Tasech chi ddim wedi bod yn parablu efo Mrs. Beth-bynnag-ydy'i-henw-hi, faswn i ddim wedi cael cyfle i ddad-bacio'r bwyd. Ond dyna fo, mae'n rhaid i chi gael siarad o hyd. Rŵan Ceri, wyt ti wedi cofio am bopeth, dywed ?"

"Do, wrth gwrs ei bod hi," meddai Mam yn holl-awdurdodol fel petai hi'n dwrne a oedd yn amddiffyn troseddwr mewn llys, "mae'i llofft hi adre' cyn waced ag ogof, 'does na ddim byd ar ôl yna, nagoes Ceri ?"

"Nagoes Mam, ond mae'r llofft yma'n edrych fel pe bai hi newydd gael dos o ffliw. Rhaid imi fynd i brynu posteri 'fory i'w rhoi ar y wal."

"O ! y radio fechan—wnest di gofio'i phacio hi ?"

"Do, Mam, paid â phoeni 'chos mae popeth yn y bagiau 'ma. Oes arnoch chi eisiau paned o goffi cyn ichi fynd adre' ?"

"Nagoes wir, Ceri, ddim diolch iti. Mi fydd yn rhaid

inni fynd rŵan neu mi fydd hi'n hannar nos cyn inni gyrraedd Maesgwyn."

"Ac mi fydda' i'n gorfod codi am bump o'r gloch eto 'fory ar gyfer y stem fore, felly, tyrd rŵan Gwenda."

"Olreit Huw, rydw i'n dod rŵan. Pryd bydd Rhiannon yn cyrraedd, Ceri ?"

"O, mae'n siŵr gen i na fydd hi ddim yma am rhyw ddwyawr."

"Wel cofia ni ati, ac mae'n siŵr y daw Marc i dy weld ti rywbryd heno," meddai Mam mewn llais a oedd hanner ffordd rhwng gosodiad a chwestiwn.

"Daw, mae'n siwr."

"Cofia ni ato fe hefyd, 'chos mae o'n fachgen neis iawn chwarae teg. Coelia di fi, Ceri, fuaset ddim yn gallu *dewis* neb gwell na fo, felly . . ."

"Wyt ti'n dod, Gwenda ? Mae'n hen bryd inni fynd. Cofia bod yn rhaid i Ceri ddad-bacio."

"Rydw i'n dod rŵan. Rŵan cofia Ceri, os oes arnat ti eisiau rhywbeth, ffonia ni'n syth bin. Oes digon o newid mân gennyt ti, dywed ? Oes ? Olreit. I ffwrdd â ni ynte, Huw."

Ar y gair dihangodd fy nhad tuag at y drws fel pe bai'n wystlon a oedd newydd weld drws agored di-rwystr a oedd yn arwain tuag at ryddid.

"Ta ta Mam, Dad. Mi wna' i eich ffonio chi cyn bo hir. Iawn ?"

"Iawn, Ceri. Paid â gweithio gormod, a phaid â chwara' gormod, ac mi fydd popeth yn iawn."

Caeodd y drws gyda chlep fyglyd, ddioglyd ar eiriau symlddoeth fy nhad, yn union fel pe bai gennyf ddŵr yn fy nghlustiau a bod hwnw'n peri imi glywed popeth fel pe bai mwgwd meddal trosto. Tawch o ddistawrwydd ymhobman. Crwydrodd rhyw deimlad a oedd rhwng syrffed a gwefr trwy fy nghorff wrth imi eistedd yn y gadair siglo fratiog o flaen y tân nwy di-groeso a syllu ar anaemia'r llofft. I feddwl fy mod wedi bod yn dyheu am ddod yn ôl ! Loetrodd arogl swrth, di-fywyd a oedd yn cyd-fynd â'r llenni tenau o liw brown golau a phatrwm yr haul yn gysgod arnynt o'm hamgylch. Edrychais ar y papur wal. Yr oedd hyd yn oed y dail ar hwnnw'n disgyn, a diolch i ymgais lew Hafina i greu realaeth ac i wrthod papuro'r waliau hyd nes y deuai Emlyn â'i gariad adref, yn dechrau colli'u lliw hefyd.

Holltodd cloch fain drws y ffrynt trwy'r distawrwydd a rhuthrais allan o'r llofft fel cath wyllt ar dân, dim ond i stopio'n stond ar ganol y grisiau wrth weld Hafina'n cerdded yn nobl tuag at y drws. Agorodd yr hen ddrws mawr gyda grym jêlar.

"Helo, Mrs. Watkins. Ydy Ceri i mewn os gwelwch yn dda ?"

"Ydy, ond mae hi'n dadbacio rŵan."

Clywais dôn a oedd cyn grased â checsyn yn ei llais. O ! yr oeddwn yn adnabod y dôn honno mor dda ! Rhedais i lawr gweddill y grisiau cyn iddi gau drws y carchar yn wyneb Marc druan.

"Mae popeth yn iawn Mrs. Watkins gan fy mod yn disgwyl Marc."

Edrychodd arnaf fel pe bawn i'n botelaid o lefrith yr oedd hithau'n gwneud ei gorau glas i'w suro gyda'r golwg a oedd ar ei hwyneb. Blinciodd fel bydji a thrôdd ei phen yn sydyn oddi wrthyf fel pe bawn yn slwten fawr yr oedd hi, y gymwynaswraig, wedi ceisio'i chael i wella'i buchedd, ond y cwbl yn ofer.

"Wel, waeth ichi ddod i mewn, am wn i, ond gwyliwch y teils 'ma 'chos rydw i wedi bod yn eu sgwrio nhw drwy'r pnawn."

"Mi wna' i dynnu f'esgidiau os oes arnoch chi eisiau."

"Na, 'does 'na ddim angen ichi wneud hynny, ond cymerwch gamau mawr. Dyna chi. Rŵan cofiwch Ceri bod y gwahoddedigion sy'n dod i'r tŷ 'ma i fynd allan erbyn hanner awr wedi deg *ar yr hwyraf.* Ar yr hwyraf, cofiwch. Nid mod i'n trwblo o ran fy hun cofiwch, o na. 'Dach chi'n gwybod yn iawn na chewch chi ddim llawer o landledis yn y lle 'ma wnaiff ddygymod â chymaint â fi, ond mae 'na fachgen bach yma, a fedrith o *ddim* cysgu os bydd 'na sŵn mawr yn y tŷ, felly . . ."

"Peidiwch â phoeni Mrs. Watkins, 'chos wnawn ni ddim aros yn y tŷ 'ma am funud mwy na sy'n rhaid inni'i wneud."

"Na wnawn wir," meddwn i, gan deimlo'n hanner blin gyda Hafina er bod arnaf eisiau chwerthin gan bod y ddau ohonom wedi clywed yr un dôn gron lawer gwaith, ac edrychem arni fel rhyw hen record a oedd yn gwrthod torri na mynd ar goll.

"Wel, dyna ni. Rydan ni'n deall ein gilydd felly."

Cerddodd oddi wrthym fel pe bai ganddi hi waith llawer pwysicach i'w wneud, a chwarddodd y ddau ohonom wrth glywed drws y gegin yn cau gyda chlep ffurfiol.

"Wyddost ti, be', Cer? Dydy'r wraig 'na ddim yn hanner call!"

"Cau dy geg y ffŵl neu mi wnaiff hi dy glywed ti, 'chos gelli di fentro dy ben bod 'i chlust hi wedi i gludoi'n solet ar y drws."

"Wel, gobeithio y caiff yr hen bitsh bigyn yn ei chlustiau sbanielaidd!"

"O Marc, 'dwyt *ti* ddim yn hanner call 'chwaith!" ac wrth i'r ddau ohonom chwerthin wrth fynd i fyny'r grisiau, gobeithiais na byddai yntau byth yn callio.

III

Tynnu f'esgidiau i ffwrdd yn y lobi rhag ofn i Hafina fy nghlywed yn dod i mewn. Cripian i fyny'r grisiau tywyll mor llechwraidd â chath yn nesáu at aderyn diniwed. Teimlo llafnau'r carped grisiau caerog yn gwthio i mewn i'm traed. Golau tenau'n disgwyl amdanaf trwy grec y drws, a'r nobyn yn crensian wrth imi wasgu'i wddf.

"Dyma ti o'r diwedd ! Bobl bach mi wyt ti a Marc fel rhyw dylluanod yn caru drwy'r nos."

"O Rhiannon, y ffŵl gwirion ! Beth bynnag, *canu* mae'r tylluanod yn y nos."

"Ia, a chanu rwyt ti a Marc wedi bod yn ei wneud heno tan ugain munud wedi dau. Wrth gwrs, cerddoriaeth ydy pwnc Marc, ynte ? Cyfleus iawn, Ceri, a be' oedd y mŵd heno, Wagner ynteu Rossini ?"

"O, rhyw gyfuniad o'r ddau."

" 'R Arglwydd Mawr !"

"Yli, rho sigaret yn dy geg i edrych wnei di gallio."

Torrodd taran fawr fel brefiad buwch â bronceitis arni o'r llofft nesaf. Yna distawrwydd tra cymerai Hafina ddigon o anadl i mewn i'w hysgyfaint i adael yr un rhoch byddarol allan unwaith eto. Druan ohoni ! Mi oedd hi'n cael bronceitis am ryw ddau funud bob tro y byddwn yn siarad yn rhy uchel yn y nos.

Cloddiodd Rhiannon ei hwyneb yn y glustog i arbed ei hun rhag chwerthin dros y tŷ wrth glywed y fath berfformiad coeth, a theflais innau fy hun ar y gwely gan deimlo'r chwerthin yn dirdynnu yn fy nghorff. Edrychais tuag at wely Rhiannon, a dyna lle'r oedd hi yn ei chrwmach fel rhyw grwban a'r chwerthin yn ysigo'i chorff eiddil.

"Rhiannon, tro o gwmpas ! *Plis* Rhiannon paid â chwerthin dim chwanag neu mi fydda' innau'n dechrau eto. Iesgob, rydw i'n siwr bod Hafina'n ein witsio ni !"

"Ac yn ein gwenwyno ni gyda brechdanau caws crimpiog i swper bob nos. Caws coch golau—lliw tebyg i wallt Alwyn Peers mewn gwirionedd."

"Be' ddiawl wnaeth iti feddwl am Alwyn Peers o bawb, rŵan?"

Rhoddodd bwniad blin i'r glustog fel paffiwr yn taro'i arch-elyn. Pwniad arall, ac un arall.

"Rydw i'n mynd i gysgu er mwyn imi gael anghofio popeth amdano."

"Efallai y gwnei di freuddwydio amdano hefyd."

"Llai o'r llais gwatarus 'na os gweli'n dda. Mae 'na ormod o bobl wedi chwerthin am fy mhen heno heb iti wneud hynny hefyd."

Edrychais ar Rhiannon druan, a gweld yr un hen ddireidi'n tanio'i llygaid er bod blinder yn ei llais. Cedwais yn ddistaw gan fy mod yn ei hadnabod yn ddigon da i wybod ei bod yn ysu i ddweud yr holl hanes wrthyf.

"Wyddost ti be' ddigwyddodd Ceri? Wel, mi oedd Ann Hywel a Laura Miles a fi'n y dafarn yn sefyll fel tair procer ynghanol y dorf, a phwy ddaeth aton ni, ond Alwyn Peers, y bachgen hylla'n yr Adran Gymraeg os nad yn yr holl Brifysgol."

"O, ond chwarae teg, mae'n rhaid iti gyfaddef roedd o'n edrych yn well o lawer ar ddiwedd y tymor diwetha' ar ôl iddo adael i'w wallt coch dyfu dros 'i glustia'."

"Ha ha. Wel, mae gen i newyddion iti 'chos mae o wedi torri'i wallt eto, ac mae o'n llai nag erioed rŵan. Beth bynnag, 'doedd dim posib cael gwared ohono'n y dafarn, ac mi ges i lond bol arno gan 'i fod mor ddi-sylw a di-ffrwt â choelcerth gwlyb."

"Wnest ti ddim hyd yn oed *ceisio* rhoi matsien ynddo? Efallai bod rhyw folcano mawr o serch y tu ôl i'r corff tila 'na, a'r gwallt coch syth, a'r llygaid croes."

"A'r anadl ddrewllyd."

"O ! mi fuost ti mor agos â hynny felly !"

"Naddo siŵr, y ffŵl gwirion ! Ond mi oedd 'i anadl o'n oglau fel sachiad o faip wedi mynd yn ddrwg."

Griddfanais fel pe bai rhywun newydd fy nharo'n fy mol, a throi fy ngheg i lawr fel prifathrawes ffroenuchel a oedd wedi llyncu'i swydd ac yn meddwl ei bod yn teyrnasu ar y gwehilion am bod ganddi doiled i'w hun.

"Rhiannon bach, mae hi bron yn dri o'r gloch y bore, mae gen i lond bol o gwrw a chur yn fy mhen a dyma ti'n areithio ar destun mor chwaethus â hen faip drewllyd. Lle ddiawl mae fy nghoban i er mwyn imi gael mynd i gysgu i anghofio am fy mhoenau ?"

"Paid â chwyno gyfaill, 'chos 'rwyt ti ond wedi clywed *sôn* am yr arogl, ond cofia mod i wedi'i glywed o gyda'm ffroenau fy hun. Ach a fi ! 'Roedd Laura ac Ann yn gallach na fi, chos mi aethon nhw at y bar i brynu diod yn reit slei a ngadael i gyda'r Desperate Dan 'na oedd yn ceisio fy niddori i gyda'i jôcs godidog o'r ' Beano '. Mewn gwirionedd mae gen i biti drosto gan 'i fod o'n gwneud ei orau i fod yn gyfeillgar â phawb ond mae'n rhaid 'i fod o'n trio gormod neu rywbeth gan fod pawb yn 'i osgoi fel dyn talu rhent, ac yn chwerthin am ei ben o hefyd. Mi oedd Mavis yn dweud wrthyf i o'r blaen 'i fod o'n cael cythraul o amser gan y bechgyn eraill yn y Neuadd."

"Gelli di fentro mai Dei Richards ydy'r prif-gythreulgi. Mae o'n iawn os caiff o chwerthin am ben rhywun arall."

"Hollol. Mi ydw i'n gw'bod hynny'n well na neb 'chos mi welais i o â'i fraich o gwmpas rhyw eneth y tu allan i'r siop chips pan oedd Alwyn yn fy ngherdded i adre', a dyna lle'r oedd o'n gwenu'n reit awgrymiadol arna' i. Rydw i'n siwr mai heno oedd y noson gynta' i Alwyn ddanfon merch adre' erioed gan 'i fod o'n gweiddi 'S'mai ', yn y llais main hwnnw ar bawb 'roedden ni'n eu 'nabod, hyd yn oed os nad oeddynt yn digwydd edrych arnon ni."

Chwarddais yn gysurus yn fy ngwely fel mam yn chwerthin am ben diniweidrwydd ei phlentyn. Diolch byth mai Mavis ac nid Rhiannon oedd wedi mynd oddi yma. Cyd-dynnwn â'n gilydd fel bysedd cloc, er mai hi oedd y bys mawr, ac ni fyddai dim byd byth yn gallu tarfu ar yr hwyl a gaem gyda'n gilydd.

"Wel, Rhiannon, mae'n rhaid imi ddweud y buaswn i wedi rhoi'r byd i weld y pâr hapus yn cerdded heibio i'r siop chips."

"Diolch yn fawr iti Ellis Wynne am dy ddychanu crafog unwaith eto. Hei, wyt ti wedi gorffen y traethawd 'na arno?

"Ar Alwyn Peers?"

"Ar Ellis Wynne, y ffŵl ! Mae arno fo'u heisiau nhw i mewn erbyn diwedd wythnos gynta'r tymor."

"Diwedd yr wythnos nesa' felly, 'chos dydy'r wythnos hon ddim yn cyfri'. Felly, mae gynnon ni ddigon o amser i wneud ein cywaith, Rhiannon. Chwarae teg, mi ydyn ni'n andros o gydwybodol yn trafod ein gwaith fel hyn yn ystod oriau mân y bore er bod y ' Meistr Cwsg ' wedi bod yn cnocio ar ein hamrannau ni ers meitin."

"Mi wna'i gnocio dy ben di mewn munud ! O, 'dwyt ti byth yn cael helynt gyda bechgyn fel 'rydw innau bob amser, nag wyt Ceri ? Mae Marc a ti yn bâr werth chweil."

"Rydyn ni'n ffraeo tuag unwaith bob wythnos—o leiaf." Ceisiais swnio fel pe bai hynny'n peri gofid mawr imi, er fy mod ÿn gwybod o'r gorau mai ffraeo fel dau gariad y byddwn bob amser.

Clywais y cloc yn tician yn hamddenol, a Rhiannon yn troi'n ddioglyd yn ei gwely. Diffoddais y lamp fechan a oedd ar y dreser, cyn ymsuddo i mewn i'm gwely a mwynhau teimlo llyfnder cynnes y cynfasau ar fy nghorff. Meddyliais am wynebu Hafina yn y bore. Meddyliais am Rhiannon ac Alwyn druan. Meddyliais am Marc. Meddyliais am heno. Edrychais ymlaen am yfory.

19

IV

Clywais lais y darlithydd yn y pellter. Edrychais arno a meddwl beth yr oedd newydd ei ddweud. O, yr oeddwn yn casau darlithiau gramadeg hanesyddol.

Gwell imi gopïo oddi wrth nodiadau Rhiannon rhag ofn fy mod i wedi colli rhywbeth pwysig.

Mi oeddet ti'n breuddwydio onid oeddet, Ceri? 'Doeddwn i ond yn meddwl tybed a oedd Marc yn well heddiw ar ôl cael y ffliw.

O ie, wrth gwrs, mi gollodd y ddawns honno'r wythnos ddiwetha' oherwydd y ffliw. Paid â breuddwydio dim mwy, Ceri, ond gwranda ar y ddarlith.

"Gan bod y Saesneg yn amgylchynu'r Gymraeg, y mae'n gwbl naturiol bod y terfyniad lluosog "s" yn cael ei fenthyg mewn rhai geiriau yn y Gymraeg. Meddyliwch am eiriau lluosog megis "rasus", bocsys," "babis," "marblis," a chofiwch am y llinell :-

' To *teils* ar bob tŷ talwg '.

O ba gywydd y mae'r llinell honno'n dod, Dafydd?"

"Llys Owain Glyndwr yn Sycharth."

"Iawn. Ydach chi'n cofio'r llinellau hyn?

' Na gwall, na newyn, na gwarth,
Na syched byth yn Sycharth '.

Ond trafod y terfyniad "s" oedden ni. Beth yw lluosog ' mwnci ' i chi, Laura?"

"Mwnciod."

Pam ddaru o edrych ar y genawes ffroen-uchel honno wrth sôn am fwnci, tybed?

"Mwnciod. Iawn. Dyna un lluosog. Faint ohonoch chi sy'n dweud mwncwns? Oes rhywun yma sy'n dweud ' mwncis ' ?"

Codais fy llaw gan deimlo braidd yn euog gan nad oedd

ond Huw Roberts a fi'n dweud y fath air, ac edrychodd Laura Miles a'r mwnciod a'r mwncwns eraill yn gilwgus arnom fel pe baem yn foch a hwythau'n berlau bach ieithyddol o'n hamgylch.

"Mae hyn yn ddiddorol dros ben. Mwnciod. Mwncwn. Mwncis. Efallai y bydd rhai ohonoch, rhyw ddiwrnod yn ysgrifennu am ddau fwnci. A fuasech chi, Ceri, wrth ysgrifennu am y ddau fwnci hyn yn rhoi ' mwncis ', ar bapur ?"

"Wel, mae'n debyg mai ' mwnciod ' y byddwn yn ei 'sgwennu, er mai ' mwncis ' y bydda' i'n ei ddweud ar lafar."

Bu bron iawn imi chwerthin yn ei wyneb gan fy mod yn meddwl amdanom ni oll yn astudio'r Hengerdd, y Gogynfeirdd, Beirdd yr Uchelwyr, Barddoniaeth Dafydd ap Gwilym, Y Rhamantau, Y Mabinogi, Y Chwedlau, Gramadeg Hanesyddol, a Hen Gymraeg, ac yna, ar ôl trwytho'n hunain yn yr holl bethau hyn, yn ymlafnio i ysgrifennu ar bwnc mor ddyrys â dau fwnci.

Dechreuodd Rhiannon a Siân Prichard a oedd yn eistedd o boptu imi fygu eu chwerthin yn eu dyrnau a phwysais innau'n drwm ar fy mhin ysgrifennu gan glywed y papur yn cael ei ysgraffinio gan y fath bwysedd.

O, plïs gorffennwch y ddarlith 'ma'n sydyn er mwyn imi gael chwerthin yn iawn uwchben fy mhanad o goffi.

Yn union fel pe bai wedi clywed fy nymuniad, arafodd ei lais fel ' rallentando ' urddasol ar ddiwedd symffoni i arwyddocáu diwedd ei ddarlith, a rhuthrodd pawb allan o'r ddarlithfa i'r ystafell goffi mor gyflym â phe bai'r ystafell ar dân. Daeth Rhiannon tuag at y bwrdd a dwy gwpanaid o goffi yn ei dwylo.

' 'Roeddwn yn dechrau meddwl nad oeddet ti byth yn mynd i orffen chwerthin yn y ddarlith 'na Ceri ! Be' oedd mor ddigri', beth bynnag ?"

"O, mi oeddwn innau'n ceisio stopio chwerthin rhag ofn iddo feddwl mod i'n ddig'wilydd, neu rywbeth felly. Ond y peth rhyfedd oedd nad oeddwn i'n gwybod pam 'roeddwn yn chwerthin, mewn gwirionedd !"

"Rhaid iti fod yn ofalus, wyddost ti Siân, gan eu bod nhw'n dweud mai dyna un o arwyddion cynta' gwall-gofrwydd."

Edrychodd arnaf yn nerfus, gan fyseddu'i chwpan yn awchus, a meddyliais pam yr oedd yn rhaid imi a phawb arall fod mor waraidd o gas gyda rhywun a oedd mor swil â Siân.

"O ! bydd yn rhaid imi geisio peidio â chwerthin cymaint, felly !"

"Pam ? Oes gen ti ddannedd budron ?"

"We-el, nagoes Dei, ond Ceri oedd yn dweud . . ."

"O Dei, mae'n rhaid dy fod ti'n byw yn yr ystafell 'ma, myn diawl ! Rydw i'n siwr bod dy fol di'n llawn o goffi'n ystod y dydd, ac o gwrw'n ystod y nos."

"Wel, mae'n rhaid i ddyn gael amrywiaeth mewn bywyd, Rhiannon, ac mae 'chydig o goffi, a 'chydig o gwrw, a 'chydig o gwmni merched hynaws fel chi'n fy siwtio i i'r dim. Ew, mae 'na flas da ar y coffi 'ma heddiw."

Fflachiodd chwant i'w lygaid wrth i Laura Miles ym-lwybro'n araf-osgeiddig heibio iddo tuag at y cownter. Prowlian ei lygaid dros ei chorff siapus, a sipian ei goffi'n hamddenol, yn un talp o hunan-hyder bendigedig.

"Cofiwch, dydw i ddim yn foi sy'n aros gyda'r un 'deryn bach o hyd ac o hyd. ' Gormod o ddim nid yw'n dda ', medden nhw. O ydy, mae 'chydig bach o bopeth yn well o lawer—'dwyt ti ddim yn cytuno â fi, Ceri ?"

"Ydw," meddwn yn sydyn, dim ond er mwyn cau'i geg. "Wnei di estyn y siwgr imi Dei, 'chos mae 'na flas sur ar y coffi 'ma er pan ddest ti yma."

"Wrth gwrs, Ceri, dyma ti. O'i gymharu â'm melyster

i, mae blas sur ar bopeth arall. Dim ond un llwyaid rŵan cofia, 'chos 'does ar Marc ddim eisiau gwasgu swp o floneg o gwmpas dy wasg di."

"Mi fydda' i'n gwasgu nwylo o gwmpas dy wddf di os na wnei di dewi'n reit sydyn."

"Bygythiad ynteu addewid ydy hynny? Oho! Mi fedra'i feddwl am ffyrdd gwaeth i farw na chael fy llofruddio gan ferch. Fy nghorff cyhyrog i'n ymladd yn erbyn corff lluniaidd a del fel d'un di! Mi gei di geisio'n lladd unrhyw adeg Ceri! Lle ddiawl mae'r Nansi Fach Dlos 'na wedi mynd?"

"Mae'n siwr gen i bod Siân wedi syrffedu gwrando arnat ti'n baldorddi."

Ciciais fy stôl o dan y bwrdd, a chymryd fy nghwpan hanner llawn yn ôl at y cownter.

V

Yr oedd y neuadd bron yn llawn. Rhesi a rhesi o fyfyrwyr ac o bobl mewn oed yn gwrando ar y gerddorfa, a minnau'n gorfod gogwyddo fy mhen i'r dde fel pelen bwnsio a oedd yn gwrthod bowndio'n ôl ar ôl iddi gael ei hergydio, er mwyn imi gael cip-olwg ar Marc a oedd yn chwarae'r soddgrwth. Siân Prichard yn eistedd i fyny'n syth yn ei chadair wrth f'ochr. Y mae'n sicr ei bod hi'n mwynhau clywed y gerddoriaeth yn awr, a theimlo'i holl rin yn treiddio i mewn i'w chorff gan gysuro'i swildod. Tristwch, llawenydd, digofaint a phleser, yr oeddynt oll mewn cerddoriaeth a gellid ymateb iddynt heb yngan yr un gair, dim ond gadael i'r gerddoriaeth ein meddiannu'n llwyr.

Ond, yn sicr, nid oedd y gerddoriaeth yn llwyddo i'm

meddiannu innau heno, gan fod fy meddwl ar chwâl fel y mae bob amser wrth wrando ar Mozart. Pe bawn yn gwrando ar un o operau Verdi neu Wagner, neu yn clywed symlder cymhleth ffiwgiau Bach, mi fyddwn yn anghofio am bopeth arall mor llwyr â phetasai rhywun wedi tynnu fy holl atgofion a'm meddyliau allan o'm hymennydd gyda phicwarch.

Heno, fodd bynnag, clywais y glaw yn tipian ar y ffenestri, a'r gwynt yn chwyddo i grescendo perffaith cyn gostegu ychydig a gadael i is-alaw staccato'r glaw gyfeilio iddo megis adlais pell o'r gorffennol.

Eisteddais ar y mat cyrliog o flaen y tân coch rhadlon a theimlo Pero'n brathu fy mysedd yn chwareus. Gobeithio y gwnaiff Mam feddwl bod dagrau'n llenwi fy llygaid oherwydd bod Pero'n fy mrifo.

"Dydi Dadi ddim yn sâl iawn nag ydy, Mam ?"

"Mae dy dad wedi cael damwain yn y pwll, Ceri, ac mae o'n yr ysbyty rŵan 'chos mae o wedi brifo'i ben. Rŵan, Ceri, rydw i'n mynd i'r ysbyty at dadi heno— er mwyn iddo gael cwmni, ynte, pwt ? Felly mi wnawn ni fynd i dŷ Anti Catrin ac Yncl Wil mewn dau funud, er mwyn iti gael cysgu yno am heno, 'chos rydw i'n gwybod dy fod ti'n licio Anti Catrin, ac mae hi'n mynd i wneud swper bach sbesial iti hefyd !"

"Ond ga' i ddod efo ti i weld Dadi ? 'Does arna'i ddim eisiau mynd i dŷ Anti Catrin. Plïs mam, ga' i ddod efo ti ? Plïs mam, plïs ?"

"Na, dim heno, Ceri fach. Mi gei di ddod rywbryd eto, ar ôl i Dadi wella 'chydig bach, ia ?"

Rhoddais gelpan sydyn i Pero ar draws ei ben, ac yna'i anwesu a brathu fy ngwefus yn galed am fy mod wedi bod mor gas gyda fo. Edrychodd arna' i gyda'i lygaid pŵl fel pe bai'n pledio gyda fi i aros yma rhag ofn iddo orfod

mynd i gysgu yn y cwt. Ond, 'doeddwn i ddim yn licio'r
syniad o gysgu yma heb mam 'chwaith.

"Olreit, mam. Mi wna'i fynd at Anti Catrin os wnei di
addo cym'yd pedol Blaci ges i gan Dadi o'r pwll iddo fo.
Ddaru o dd'eud y basa hi'n siŵr o ddod â lwc imi, ac mi
fydd Dad yn siŵr o wella'n lot cynt ar ôl gweld y bedol
'na. Wnei di'i chym'yd hi, mam ?"

"Wel gwna' siŵr cariad. Mi fydd Dadi wrth ei fodd
efo hi."

"Ond pam ddaru o frifo'i ben, mam ?"

"Wel, mi oedd 'na ffrwydrad bach yn y pwll . . ."

"Be ydy ffrwydrad ?"

"Wel, rhyw fath o glep fawr. Wyddost ti pan fydd
balŵn yn bostio, wel dyna rywbeth tebyg i ffrwydrad."

Edrychais ar mam a 'ngheg yn agored fel pe bawn yn ei
gweld am y tro cyntaf erioed. 'Doeddwn i ddim yn
gwybod bod 'na falwns i lawr pwll.

"Ond sut ddaru Dadi frifo'i ben ?"

"Wel, mi oedd y glep yn un reit fawr, ti'n gweld, pwt,
ac mi ddaru darn bach o lo daro Dadi'n 'i dalcen."

"O, 'rydw i'n gw'bod be' ydy ffrwydrad rŵan ! Mae o'r
un fath â charreg yn y tân, a honno'n picio allan, a darn
bach ohoni'n trio gwneud twll yn y mât."

"Ia, dyna ti. Rhywbeth fel hynny."

"Ond ddaru'r garreg wneud twll ym mhen dad yn lle
gwneud twll yn y mat, ia mam ?"

"Ia, dyna ti, Ceri. Rŵan tyrd, mae Anti Catrin yn dy
ddisgwyl di cofia."

"Ond 'dwyt ti ddim yn mynd i aros yn yr ysbyty *drwy'r*
nos, nag wyt mam, 'chos ddaru dadi aros yn yr ysbyty
drwy'r nos gyda nain ers talwm pan oedd hi'n sâl, ac mi
ddaru hi farw."

"Mae dy gôt di'n y llofft Ceri. Mi a'i i'w nôl hi iti rŵan."

Rhedodd mam i fyny'r grisiau fel yr oedd hi'n arfer â

rhedeg at y stôf pan oedd rhywbeth yn berwi drosodd.
Mae'n rhaid ei bod hi ar frys i fynd mor gyflym â hynny.
Mae'n rhaid ei bod hi'n flin gyda fi am rywbeth hefyd
'chos 'roedd ei llais hi'n crynu gynna'.

"Rhaid imi fynd, Pero, ond mi fyddi di'n iawn yn y
cwt, ac mi wna' i ddod i dy weld ti'n y bore. O, mi wyt
ti'n hardd, Per."

Rhoddais fy nghadach gwlân o gwmpas fy ngwddf a
thynnais fy nhafod ar y glo yn y lle tân am iddo daro Dadi
yn ei dalcen.

Torrodd clep ysgytiol ar draws fy meddwl. Tân yn
picio. Ffrwydrad yn y pwll. Clep arall. Clep arall. Sŵn
megis sisial o ryddhad ymysg y gynulleidfa.

"O, mi ydw i wedi mwynhau fy hun heno, gan fy mod
i'n syrffedu aros yn f'ystafell yn y Neuadd noswaith ar ôl
noswaith."

"Wel, Siân, mae'n rhaid imi gyfadde' mod i wedi bod
yn breuddwydio nes i'r symbalau hynny fy neffro i.
Mi fydd Marc yn meddwl 'mod i'n dechrau drysu pan
ddyweda'i hynny wrtho !"

"Wel, o leia', mi wyt ti wedi clywed rhywbeth !
Rhaid imi fynd rŵan—mae gen i lawer o waith i'w
wneud. Ta ta, Ceri."

"Hwyl ! Cofia alw i gael sgwrs â Rhiannon a fi unrhyw
amser. Mi fydd 'na groeso iti os medri di lwyddo i ddod
i mewn i'r llofft heb fynd ar goll yn yr holl lanast !"

"Diolch yn fawr. Ta ta, rŵan."

Brysiodd oddi wrthyf mor lletchwith â tharw gwyllt
ynghanol siop lestri gan ddechrau maglu dros un o'r
cadeiriau. Y greadures fach ! Y mae'n debyg na ddaw
hi byth i gael sgwrs â ni. Hithau'n ymbellhau oddi wrth
bobl, a phobl yn ymbellhau oddi wrthi hi. Ie, dyna fydd
hanes ei bywyd.

★   ★   ★

"Mm. Mae dy gusanau di'n flasus heno, Cer."

"Wyt ti'n ceisio d'eud wrthyf i nad wyt ti'n mwynhau fy nghusanau i fel rheol, ond bod heno'n eithriad ?"

"O, mae arnat ti eisiau chwarae cath a llygoden, oes ? Olreit, Cer, mi gei di fy herian i os mynni di, ond wir, 'does dim angen iti wneud hynny gan dy fod ti'n fy nhryfocio i hen ddigon heb geisio gwneud petha'n waeth."

Gwasgodd fi'n erbyn ei gorff, a mwynheais flas ei gusanau barus.

Mi fydd yn rhaid iti ddweud wrtho rhywbryd, Ceri, dywed wrtho rŵan.

"Marc, cariad, mae gen i newyddion iti."

"Be' ddiawl ydy hwnnw ?"

"Mae'r tegell yn berwi, ac os na wnei di adael imi fynd, mi fydd d'ystafell di'n llawn stêm."

"O'r ffŵl gwirion ! Rhaid imi adael iti fynd felly ? Olreit, mi wna'i hynny—o dan orfodaeth, cofia. Gwell iti roi'r dail te yng ngwaelod y mygiau, Cer, gan fod y te sy'n y tebot wedi llwydo."

Saethodd clwstwr o swigod ewynnog di-ffrwt a oedd ar y gwaddodion te i mewn i fyw fy llygaid a chofiais am y crempog o fflemiau yn yr hen bot o dan wely Nain, ers-talwm. Syllu ar y llwydni'n llithro'n llathraidd i lawr i'r sinc a gadael ysgum grafog ar ei ôl.

" 'Does dim rhyfedd dy fod ti newydd fod yn sâl gyda'r holl fudreddi 'ma o dy gwmpas di Marc."

"Mi fuasa' rhywun yn meddwl 'mod i'n byw yn y tebot ! Mm, mae dy de di'n dda heno hefyd, chwarae teg."

"Er bod y dail yn hwylio ar ei ben fel cychod bach duon. Na—mae'n siŵr mai rhyw ' semiquavers ' heb goesau ydyn nhw iti."

"Ti a dy gychod bach duon a dy ' semiquavers ' heb goesau ! Os gwnaiff rhywun ofyn imi 'fory 'be' oeddet ti'n 'i wneud neithiwr ?, mi fydd yn rhaid imi ddweud, 'Wel, 'roedd Ceri yn f'ystafell i, yn gwisgo trowsus du tyn oedd yn dangos siâp ei choesau'n dda, a blows las gyda botymau i lawr y blaen, ac 'roedden ni'n sôn am gychod bach duon ac am semiquavers heb goesa'."

"O, Marc, 'dwyt ti ddim yn gall !"

"Wel, os nad ydw i, 'does arna 'i ddim eisiau bod yn gall 'chwaith, gan 'mod i'n berffaith hapus fel rydw i rŵan, diolch yn fawr. Ti sy'n fy ngwneud i'n hapus, wyddost ti Cer."

Llyncais fy nhe'n rhy sydyn a dechreuais dagu. Tagu hyd nes oedd dagrau'n dod i'm llygaid, a Marc yn waldio fy nghefn fel pe bai'n waldio drwm.

"O, dyna welliant ! Mi oeddwn i'n cadw sŵn tebyg iawn i'r symbalau hynny ar ddiwedd y symffoni ! Mewn gwirionedd, y rheini ddaru fy neffro i 'chos mi oedd fy meddwl yn bell i ffwrdd trwy gydol y perfformiad."

"Am be 'roeddet ti'n 'i feddwl ?"

"O, am lawer o bethau : am Faesgwyn, amdanaf fy hun yn blentyn, am mam, ac am fy nhad yn cael y ddamwain ofnadwy honno'n y pwll."

"Paid â meddwl dim 'chwaneg am y ddamwain, Cer. Mae o i gyd yn y gorffennol rŵan, cofia, a 'does a wnelo fo ddim byd â gwrando ar symffoni gan Fozart."

"Rydw i'n gw'bod hynny, Marc. Pwy ddiawl sy'n ceisio taro'r drws i lawr ?"

"Dewch i mewn !"

"Wel, wel ! Be' ddiawl sy'n digwydd yma—' tea for two ', ie ? Neis iawn hefyd. 'Does 'na ddim byd tebyg i de i roi adnewyddiad nerth i rywun."

"Estynna fyg os oes arnat ti eisiau llymaid."

"Na, dim diolch iti Marc, 'chos mae tri'n ormod mewn ystafell fel hon."

Safodd yn ei unfan wrth y drws gan bwyso'i benelin yn erbyn y cwpwrdd dillad a gwenu'n wirion arnom fel tramp yn diolch am rodd.

"Wnest ti olchi'r dillad budron hynny, dywed Dei? Wyddost ti be' Cer, mi ddaeth o yma ddoe gyda llond bag o ddillad drewllyd, ac mi oedd yr uffern lloft 'ma'n drewi am oriau ar ôl iddo fo fynd!"

"Mi fuasa' wedi bod yn well iti agor y ffenest—o rydwi'n cofio rŵan na wnaiff y bitsh ddim agor ar ôl i'r ffrâm gael ei phaentio'r llynedd. Felly, Ceri, os byddi di'n aros yma dros nos unrhyw adeg, a bod y gloch dân yn canu, paid byth â cheisio dianc trwy'r ffenest honno!"

"O, cau dy geg, yn lle dy fod ti fel chwannen o dan groen pawb byth a hefyd."

"Olreit Ceri, olreit. Paid â gwylltio. Edrycha ar Marc, dydy o ddim yn codi'i wrychyn o gwbl. Be' ddiawl sy'n bod arnat ti'n ddiweddar beth bynnag?"

Teimlais yn euog a chil-wenais yn wylaidd arno. Yn sicr, yr oedd gan Dei'r ddawn o allu gwylltio pobl a gwneud iddynt edifarhau am hynny'n syth wedyn. Edrychodd Marc arnaf a phenbleth mawr yn ystwyrian yn ei lygaid, ond ni ddywedodd air.

"O Dei, anghofia am yr wythnos ddiwetha'. 'Roedd brecwast a thafod Hafina'n waeth nag arfer, felly mae'n debyg mai dyna pam 'roeddwn i mor bigog."

"Be' ddiawl ddigwyddodd yr wythnos ddiwetha'?"

"O dim byd. Dim ond fy mod i'n siarad â Ceri pan oedden ni'n cael panad, ac 'roeddwn i'n sôn fel y buasa'n gas gen i ganlyn yr un ferch o hyd ac o hyd,—wyddost ti, dim amrywiaeth ynte? Dyna Ceri'n cytuno'n llwyr gyda fi, ond y munud nesa',—whiw, taranu oddi wrth y bwrdd mewn uffern o dymer! Ond paid â phoeni Ceri, 'chos mi ydyn ni i gyd yn colli'n tymer weithiau. Ew, rhaid imi fynd rwan! 'S dawch!"

Rhoddodd globen o winc imi a chaeodd y drws gyda sbonc sydyn ddireidus. Llosgodd fy wyneb gan rhyw gyfuniad rhyfedd o dymer a chywilydd wrth weld Marc yn codi oddi ar ei gadair a cherdded tuag at y bwrdd gan droedio'n fwy gofalus nag arfer. Tywallt dŵr poeth i mewn i'w fyg te gan syllu ar y rhimyn tenau o ddŵr yn llifo'n araf trwy big y tegell fel pe bai'r peth pwysicaf yn yr holl fyd.

"Pam wnest ti gytuno â Dei, Ceri ?"

"O Marc, dweud rhywbeth yr oeddwn i, dim ond er mwyn cau'i geg o, dyna i gyd."

"Paid â siarad mor ddwl ! Mi fyddi di wrth dy fodd os cei di ddadlau â rhywun. Mi wyt ti'n gwybod hynny o'r gorau."

Trôdd tuag ataf a phoeri'r geiriau i mewn i fyw fy llygaid.

"Be' sy' o'i le ar ddadlau, beth bynnag ?"

"Wel pam ddiawl na f'aset ti wedi dweud wrth Dei yr hyn 'roeddet ti'n 'i feddwl mewn gwirionedd ? Ond efallai dy fod ti *wedi* dweud y gwir wrtho. Efallai bod arnat ti eisiau mynd allan efo hogiau eraill yn lle mynd allan byth a hefyd gyda'r un hen fachgen. Digon o fechgyn o dy gwmpas fel cacwn o gwmpas pot jam—mae hynny'n well o lawer, onid ydy Ceri ?"

"Nac ydy Marc. 'Rwyt ti wedi camddeall yr holl sefyllfa."

"Yr unig sefyllfa 'rydw i'n ei ddeall ydy dy fod ti wedi glân syrffedu arna' i."

"Marc, plïs paid â gwneud imi wylltio cymaint â thi. 'Dwyt ti ddim yn gweld bod Dei Richards wedi taro i mewn yma heno dim ond er mwyn carthu helynt ? Ond paid â gadael iddo fo lwyddo dim mwy,—anghofia am be' dd'wedodd o, 'achos dydy o ddim yn wir Marc.

Mae'n debyg 'i fod o'n wir amdana' i ar un adeg, ond dydy o ddim yn wir rŵan."

Bron y teimlais rhyw swildod sydyn yn gafael ynof wrth imi weld y cynddeiriogrwydd yn pylu yn ei lygaid.

"O, mae'n ddrwg gen i Cer, wir, mae'n ddrwg gen i. Tyrd yn nes ata' i rŵan, er mwyn inni gael anghofio popeth am heno."

Ystwyrian fy mysedd yn llipa drwy'i wallt cyrliog wrth iddo fy nghofleidio. Edrych i mewn i w lygaid tywyll a gweld y golwg pell, breuddwydiol ynddynt unwaith eto.

VI

Diwrnod clinigol oer yn nechrau mis Tachwedd, a'r gwynt yn brathu i mewn i'm hwyneb gan beri bod fy mochau mor ddi-deimlad â phe bai deintydd wedi chwistrellu gormod o gocáin o amgylch fy nant a hwnnw wedi treiddio'n araf i mewn iddynt. Er fy mod ond newydd ddod allan o ddarlith bedwar, yr oedd yr awyr wedi dechrau tywyllu. O, yr oeddwn wrth fy modd yn cerdded yn y tywyllwch hamddenol hwn nad oedd mor ddi-enaid â thywyllwch y nos.

Edrych i fyny at y llyfrgell. Na, nid oedd neb yn meddwl am fis Mehefin heno. Yr oedd yr arholiadau megis pe baent mewn byd arall. Mewn byd arall pan fyddai'r diwrnodau'n olau tan hwyr, pan fyddai'r pwdinau dail soeglyd wedi cael eu rhawio oddi ar y palmentydd, a dail newydd wedi tyfu ar y coed.

"Hei ! Oes arnat ti eisiau pas adre ? Mae na ddigon o le yma."

Gwichiodd breciau hen fan Huw Roberts fel meirch o

flaen perygl. Laura'n eistedd yn fonheddig wrth ei ochr, a Siân Prichard yn cwmanu yn y sedd gefn.

"S'mai Huw ! Diolch iti'r un fath, ond rydw i ond yn mynd i'r caban coffi ar draws y ffordd. Rydw i'n cyfarfod Mavis yno am banad."

"O Mavis Puw ie ? Ie, rydw i'n 'i chofio hi rŵan. Ddaru hi fethu'i harholiadau y llynedd, felly ?"

Siaradai mor ddel nes y teimlais fel stwffio taten boeth i mewn i'w cheg fechan gron.

"Naddo, mi lwyddodd yn ei harholiadau, ond bu'n rhaid iddi ymadael â'r Coleg am fod ei mam yn wael iawn."

"Wnei di fy nghofio fi ati, os gweli'n dda, Ceri ?"

"Gwna', wrth gwrs Siân. Hwyl rŵan !"

"Hwyl."

Y fan yn cychwyn gyda sbonc, a mwg mawr yn dod allan o'i thu ôl.

O, hen eneth ffroenuchel oedd Laura. Y mae'n debyg na fyddai *hithau'n* ymadael â'r Prifysgol er mwyn edrych ar ôl ei mam. I feddwl ei bod hi'n smalio nad oedd hi hyd yn oed yn cofio Mavis.

Wel, efallai nad oedd hi'n ei chofio ar y funud. Cofia bod pum mis er pan fu Mavis yma, ac mae popeth yn mynd yn ei flaen hebddi.

Ydy, mae'n debyg.

Rhuthrodd y gwres tuag ataf wrth imi gerdded i mewn i'r caban, a phrynu cwpanaid o goffi cennog. Eistedd wrth fwrdd bach yn y gornel yn ymyl y juke-box ac edrych ar y criw difyr o fyfyrwyr a oedd yn ystelcian yma. Am gymysgedd rhyfedd ! Ond serch hyn, glynai rhyw stamp anweledig ar bob un ohonom fel na allai neb dybied nad myfyrwyr oeddem. Oedd, yr oedd rhyw olwg ddi-ddrwg, di-dda ar ein hwynebau fel pe baem yn ddigon parod i eistedd wrth yr un bwrdd yn sipian coffi allan o gwpan blastig am byth, pe bai angen.

O, brysia Mavis ! Nid oeddwn wedi'i gweld er pan ddaeth i'r disgo wythnos yn ôl. Mewn gwirionedd, hawdd oedd sylweddoli nad oedd hi wedi'i mwynhau'i hun o gwbl y noson honno, gan ei bod yn ymddangos fel pe bai'n edrych i lawr arnom oll, yn union fel geneth ddeudd-eg oed yn chwerthin am ben ei chwaer naw oed am ei bod yn dal i chwarae gyda doli.

"Oes lle i rywun arall heblaw myfyrwyr yn y caban coffi 'ma, dywed ?"

"O Mavis ! Eistedd i lawr. Wnes i mo dy weld ti'n dod i mewn—mae'r hen fwrdd 'ma mor bell oddi wrth y drws fel nad oes modd gweld neb."

"Hy ! Mae'n siwr mai breuddwydio yr oeddet ti—ti a phawb arall yn y lle 'ma yn ôl yr olwg swrth sy' arnoch chi i gyd."

"Wel, diolch iti am dy sylwadau cynnil, ond ta waeth am hynny. Sut mae dy fam heddiw ? Ydy hi'n rhywfaint gwell ?"

"Gwell ? Bobl bach, mae hi'n hen bryd iti ddechrau wynebu ffeithiau, Ceri. Dydy pobl ddim yn gwella oddi wrth gancr. Mae nhw'n diodde' cymaint fel eu bod yn gweiddi dros yr holl ward cyn i'r nyrs ddod i chwistrellu rhyw ragflas o farwolaeth i mewn iddynt. Y cleifion eraill yn y ward yn troi'u pennau'n sydêt oddi wrthynt, ac yn siarad yn ddistaw ac yn ysgwyd eu pennau fel petaen' nhw'n diodde' hefyd. Ond mae nhw i gyd yn gwella ac yn dianc o'r ysbyty gan anghofio popeth am Mam yn gweiddi ac yn mynd yn wanach bob eiliad."

"O, mae'n ddrwg gen i Mavis, wir, mae'n ddrwg gen i, ond paid â chrio rŵan. Tyrd adre' gyda fi 'chos mi fydd hi'n fwy cysurus yno nag ydy hi yn yr hen dwll 'ma."

"Oes arnat ti ofn i rywun fy ngweld i'n crio ? Dyna be'

sy'n dy boeni di ynte ? Wel, dydw i ddim yn mynd i symud oddi yma. *Fedra'* i ddim mynd yn ôl i'r hen le, Ceri, ond dos di gan y bydda' i'n well toc."

"Paid â siarad yn wirion ! Meddylia am un o dy ffrindiau yn d'adael di yma i grio ar dy ben dy hun !"

"Be' wyt ti am 'i wneud—crio gyda fi ?"

Gwasgodd ei dwylo'n dynn fel pe bai'n ceisio torri cneuen. Rhyw syrthni'n ymgymysgu â'r boen yn ei llygaid. Sipiais fy nghoffi'n gysetlyd gan feddwl beth a allwn ei ddweud er mwyn ei chysuro, ond mewn gwirionedd, nid peth hawdd oedd swcro Mavis.

"O, rydw i wedi syrffedu crio ar fy mhen fy hun. Mae 'nhad a Gwyneth, fy chwaer, yn crio llawer hefyd yn ôl y cochni sy' o gwmpas eu llygaid, ond wyddost ti nad oes yr un ohonon ni wedi crio o flaen ein gilydd eto ? Mae pob un ohonom yn ceisio ymddwyn fel pe bai popeth yn iawn. Ond dyna fo, 'ddyliwn, mi fydda' innau'n actio cymaint â phawb arall, o ran hynny."

"Fedra' i ddim meddwl amdanat ti'n actio o gwbl Mavis."

"Na fedri ? Wel, mi fydda' i'n gwneud hynny'n aml, yn enwedig wrth imi deithio ar y bws i edrych am Mam yn yr ysbyty. Eistedd yno â'm cadach coleg o amgylch fy ngwddf a thwyllo fy hun mai mynd yn ôl i'r Coleg yr ydwyf ar ôl bod adre' dros y Sul."

"Paid â phoeni gormod, Mavis. Mae'n siŵr y cei di gyfle i ddod yn ôl i'r Coleg rywbryd."

Brathais fy nhafod, ond yr oeddwn yn rhy hwyr.

"Ar ôl i mam farw ? Na, hyd yn oed petaswn i'n dod yn ôl i'r Coleg yn nes ymlaen, mi fyddai pawb a phopeth wedi newid,—a fi wedi newid yn fwy na neb."

"Ond cofia bod *pawb* yn newid i ryw raddau."

"Ydyn, wrth gwrs, ond mae'n debyg mai proses raddol ydy honno i lawer o bobl. Ond ar hyn o bryd,

Ceri, mi fedra' i deimlo bywyd yn neidio arnaf ac yn fy llusgo i ryw le i'm waldio i, a'm cleisio i, a gadael rhyw greithia' hyll arna' i."

"Yli, Mavis, cymera sigaret. Mi wnaiff hi dy helpu di 'chydig bach, beth bynnag."

"Na, dim diolch iti."

Llosgodd fy wyneb gan euogrwydd. O, pam nad oeddwn yn gallu siarad yn naturiol â Mavis mwyach ?

"Mi dd'wedodd Rhiannon 'i bod am ddod yma'n nes ymlaen, ond mae ganddi hi diwtorial am bump ar ddydd Iau."

"Dywed wrthi am beidio â thrafferthu. Rydw i'n gwybod 'mod i wedi gadael y Coleg ers 'chydig o fisoedd, bellach, ond rydw i'n cofio digon o bethau amdano i wybod nad oes 'na ddiawl o neb yn cael tiwtorial am bump. Felly, paid â cheisio bod yn garedig Ceri, trwy feddwl am rhyw esgusion teilwng i'w rhoi imi am nad oes gan Rhiannon na'r amynedd na'r awydd i wrando arnaf. Ond, dydw i ddim yn mynd i aros yma am Meiledi 'chwaith, gan fod yn rhaid imi fynd yn ôl i'r ysbyty mewn munud. Mi gawn ni fynd i mewn unrhyw adeg."

"Oes mymryn o obaith iddi hi Mavis ?"

"Nagoes. Mae'r cancr wedi gwneud ei wely'n ei gwddf hi, ac mae'n debyg y bydd popeth drosodd mewn llai nag wythnos."

Caeodd fotymau llipa'i chôt yn ddi-egni gydag un llaw fel plentyn bach a oedd yn pwdu am fod yn rhaid iddo fynd i'r ysgol, a theimlais yn flin am fod Rhiannon wedi mynd i'r dref i brynu siwmper yn lle dod i'r caban coffi gyda mi. O leiaf, mi fuasai wedi gallu dweud rhywbeth wrth Mavis druan.

"Wel, bydd ganddi hi ddim poen wedyn, beth bynnag, Mavis. Yli, cymera banad arall o goffi cyn iti fynd yn ôl."

"Na, mae'n rhaid imi fynd rŵan, ond diolch iti am

wrando arna' i. Mae'n rhyfedd, ond atat ti 'roeddwn i'n dod bob amser pan oedd gen i broblemau fel sut i ddechrau traethawd, neu sut i lunio brawddegau gan ddefnyddio rhyw gymalau arbennig."

"Wel, 'doeddwn i ddim yn gallu dy helpu di rhyw lawer gyda'r petha' hynny, ac mae arna i ofn nad ydwyf wedi rhoi llawer o gymorth iti heddiw 'chwaith. Ond tyrd yma yfory am banad er mwyn inni gael sgwrs arall."

"Na, dim diolch iti Ceri, 'chos wn i ddim sut y bydd petha'n yr ysbyty, mae'n siŵr bod gennyt ti ddigon o bethau eraill i'w gwneud. Gyda llaw, ydy Marc yn iawn ?"

"Ydy diolch. Rydw i'n 'i gyfarfod o yma am chwech, felly mae arnaf ofn na fedra'i ddim cerdded adre' heibio i'r ysbyty gyda thi."

"O, paid â phoeni. Beth bynnag, mae bechgyn yn bethau llawer mwy diddorol nag ysbytai."

Gwingais wrth deimlo'r colyn a saethodd allan o'i cheg. O, pam yr oedd yn rhaid i Mavis fod mor bigog hyd yn oed pan oeddwn yn ceisio'i helpu ?

"Cofia paid â bod yn ddieithr."

"Wna i ddim. Mi sgwennaf atat ti os digwyddith rhywbeth. Ta–ta rŵan Ceri."

Taflodd ei chadach Coleg llachar o amgylch ei gwddf, a diflannodd trwy'r drws. Taniais sigaret. Edrychai pawb mor ddi-fynegiant ag o'r blaen wrth ddiogi uwchben ei gwpan dew, ac euthum innau i brynu cwpanaid arall o seguryd.

36

VII

"Rho ddigon o fodca'n y gwydr 'na, a'r diferyn lleiaf
o leim, a hey presto, mi fydd hi'n dy wely di mewn dim."

"Mi glywais i hynny Dei, ond paid â meddwl fy mod i
mor wyrdd â'r leim sy'n y botel 'na, gyfaill. A rhag dy
g'wilydd di, hefyd, Marc, yn gadael i'r creadur anllad
'ma f'enllibio i fel yna."

Gwenodd yn ôl arnaf, ac effaith y cwrw'n peri i'w
lygaid dreiddio'n ddyfnach nag arfer i mewn i'm llygaid i,
a oedd, oherwydd y parti hwn yn dechrau teimlo fel pe
baent yn barod i ddisgyn i gefn fy mhen ar unrhyw adeg.

"Wel, chwarae teg, 'ches i ddim llawer o siawns i
d'amddiffyn di, naddo ? Ond pe taset ti wedi cadw draw
ac wedi cau dy geg, mi fuaswn i wedi taro Dei 'ma hyd
nes y buasai'n ddu-las. Ond gan dy fod ti wedi'i achub o
rhag y farwolaeth fwya' erchyll bosibl, rydw i'n meddwl
mai'r peth lleia' y gall o'i wneud ydy cynnig diod iti."

"Ia, a chofia bod yn rhaid iti yfed pob diferyn ohono, fel
y dylai merch ei wneud mewn parti fel hwn."

"Lle ddiawl mae'r botel fodca 'na ? Mae arnaf eisiau
diod. Dei, y diawl, rho'r botel 'na imi rŵan. Rŵan Dei !
Rŵan ! Rŵan ! Mae arnaf eisiau fodca, felly rho'r botel
imi rŵan. Mae mhen i'n troi fel top, ond rho'r botel 'na
imi !"

"Olreit Helen, cariad, dyma ti. Mae hi bron yn llawn."

"Dei ! Paid â bod yn wirion. Dydy hi ddim yn gwybod
lle mae hi *rŵan* heb sôn am ar ôl iddi gael chwanag o
ddiod."

"O, cau dy geg, y ffŵl rinweddol. Bobol bach, Ceri,
nid Helen ydy'r unig un sy' wedi meddwi yma heno, a
'dwyt ti, yn fwy na fi a Marc, ddim yn edrych yn rhyw
solet iawn dy hun."

"Pwy sy' eisiau bod yn solet, beth bynnag ? Rydyn ni

wedi dod yma i fwynhau ein hunain, felly, digon o ddiod i bawb heno."

"Paid â gwrando arno fo Ceri. *Unrhyw* esgus i gipio dropyn mwy na'r hyn ddylai fo 'i gael ac mae Marc yn iawn ! O, pwy ydy'r Jiwdi sy'n eistedd fan acw, dywed ? Rhaid imi fynd ati i gael gwybod 'chydig o'i hanes. Byddwch yn blant da rŵan !"

"Be' am y fodca wnest ti 'i addo imi, y diawl ?"

" 'R Arglwydd Mawr, Marc, edrycha ar 'i llygaid hi'n troi'n 'i phen hi !"

"Pam ddaru ti roi'r botel i'r hen Helen honno ? Fy mhotel i oedd hi ! Mi wnest ti addo rhoi diod imi. Ddaru ti addo, Dei ! Ddaru ti addo !"

"Dyna ddigon, Cer. Tyrd i eistedd i lawr am 'chydig bach, a bydd yn ddistaw."

"Paid â dweud wrthyf i am fod yn ddistaw, Marc ! O na. Lle mae'r fodca ? Lle mae'r fodca ? Lle mae'r uffern fodca . . ."

"Orleit, Ceri. Eistedd di i lawr gyda Marc, ac mi af i i nôl fodca iti."

"A leim."

"Ia, a leim."

"O paid â mynd eto, Dei. O rydw i'n teimlo'n sâl. Mae hi'n rhy boeth yma."

"Ydy—i rywun sy' wedi yfed gormod. Tyrd at y drws rŵan, Cer. Gafaela ynof yn dynn. Tyrd yn dy flaen Ceri !"

"Gwna di'n union fel y mae Dr. Kildare yn 'i ddweud wrthyt ti rŵan."

"Cau dy geg, Dei. Tyrd rŵan, Ceri, 'chos mae pawb yn edrych arnat ti."

"Na. Dydw i ddim yn mynd i symud nes y ca' i fodca. Rydw i'n mynd i orwedd i lawr ar y llawr. Oooooo . . . rydw i'n teimlo'n sâl. O, Marc, rydw i'n teimlo'n sâl !"

"Wel y ffŵl hurt, pam na fuaset ti wedi' chario hi allan mewn pryd ?"

"Pwy ddiawl wyt ti'n feddwl ydw i—dyn sy'n magu cŵn bach ? Tyrd, Ceri, cyn iti fod yn sâl eto."

"Paid â bod yn gas wrthi hi, Marc, er 'i bod hi wedi cael uffern o chwydfa dda—drosot ti i gyd ! Ha ha ! Duw, mae'n drewi, hefyd !"

"Be' ydw i wedi'i wneud ? Ha ha! Rydw'i'n gwybod. Rydw i wedi taflu i fyny am ben Marc ! Ha ha ! Edrych ar y lympiau bach gwyrdd ar hyd dy siaced di—dyna'r pys ddaru mi eu bwyta amser cinio. Oooooo . . ."

"Ceri, y blydi bitsh !"

"Sori, Dei. Ond mae 'na fwy o stwnsh ar Marc druan nag sy' arnat ti."

"O, rydw i'n mynd allan o'r uffern lle 'ma. Lwc dda iti Marc wrth geisio'i danfon hi adre' yn y fath stad. A beth bynnag wnei di, paid â *meddwl* am ei chusanu hi neu mi fydd yr ogla'n dy daro di i lawr."

"Ydi Dei wedi mynd ?"

"Do, ac mae'n hen bryd i ti a mi fynd hefyd gan fod dy barti di drosodd."

★   ★   ★

Sŵn tincial. Rhiannon yn chwilota yn ei phwrs, mae'n siŵr. Pwff sydyn y tân wrth i'r nwy lamu tuag at y fatsien. Clywed Emlyn yn crio i lawr y grisiau, a chrychu fy llygaid yn dynnach wrth i'r sŵn wanu drwy fy mhen.

"Hei, wyt ti wedi deffro ? Mi gollaist ti frecwast ardderchog—ŵy wedi'i ffrio a bacwn a lwmpyn tew o bwdin gwaed. Ond yli, cymera ddarn o'r deisen siocled 'ma, yn lle brecwast. Mae 'na swp o hufen menyn yn ei chanol hi, ac mae hwnnw'n felys-felys."

"Rhiannon, mi fydda i'n taflu i fyny ar dy ben di mewn munud."

"Hy ! Digon o waith bod dim byd yn sbâr yn dy fol di ar ôl iti chwydu dy berfedd allan yn y parti !"

"O, paid â sôn am neithiwr ! Mae arnaf eisiau anghofio popeth amdano."

"Wel, mae dy fol di'n dal i gofio amdano, beth bynnag."

"Ydy. Mae o'n cadw sŵn fel pe bai rhyfel wedi cael ei gyhoeddi yno. O, wnei di estyn mygiaid o ddŵr imi, os gweli'n dda, 'chos alla' i ddim codi oddi yma am oriau eto."

" 'Roedd Hafina'n mynd i'r 'stafell ymolchi pan oeddwn i'n dod i mewn i'r llofft rhyw ddau funud yn ôl, felly fedra' i ddim nôl dŵr iti o'r fan honno. Ond mae 'na ddŵr yn y tegell er ddoe os medri di ffansio yfed hwnnw."

"Mae cymaint o syched arnaf fel y buaswn yn yfed y dŵr sy'n y toiled. O brysia Rhiannon !"

"Dyma ti. Mi fyddi di'n teimlo'n well ar ôl cael cegaid o hwn."

Blas swrth yn treiglo ar hyd y cen sur ar fy nhafod. Ei garthu â'm dannedd, a'r cen yn glynu fel chwysigen soeglyd ar eu hyd.

"O, rydw i'n teimlo'n llipa !"

"Paid â chwyno, Ceri ! Mi fydda' i'n teimlo'n llipa bron bob bore, hyd yn oed pan na fydda' i wedi bod ar y botel y noswaith gynt !"

"Wnest ti feddwi neithiwr ?"

"Naddo, yn anffodus, gan fod arnaf eisiau cadw'n weddol sobr er mwyn ceisio llwybreiddio'n ddistaw tuag at Huw Roberts. O ! mae o'n dipyn o bisin, 'dwyt ti ddim yn cytuno, Ceri ?"

"O ydw. Mewn gwirionedd, gall neb wadu nad ydy o'n bisin. Beth bynnag, wnest ti lwyddo i ' lwybreiddio'n ddistaw ' tuag ato ?"

"Do ! O, mi ddylet ti fod wedi gweld gwep Laura ! Wyddost ti, mae hi bob amser yn rhedeg ar ei ôl o gyda'r wên ffals honno ar hyd 'i hwyneb, ond ail oedd hi neithiwr ! O, rydw i wedi gwirioni arno fo !"

"Wel be' oedd hanes Alwyn Peers neithiwr—welais i ddim golwg ohono."

"Na fi 'chwaith ! Efallai'i fod o'n cael torri'i wallt ar nos Sadwrn ! Pwy a ŵyr ? Rŵan Ceri, wyt ti'n siwr dy fod ti'n teimlo'n well, gan fod yn rhaid imi fynd i ffonio mam. Mi ddylai hi fod wedi cyrraedd adre' o wasanaeth y bore erbyn hyn."

"Dy fam ? Bobl bach Rhiannon, rydw i newydd gofio bod mam a 'nhad yn disgwyl i Marc a fi fynd i Faesgwyn i de heddiw ! Ond alla i ddim mynd yn y fath stad 'chos mae 'mhen i'n waldio ac rydw i'n teimlo'n uffern o sâl ! O Rhiannon, beth alla i wneud ?"

"O, Ceri, druan ! Wel, os na wnei di fynd yno, mi fyddan' nhw'n meddwl dy fod ti'n sâl—yn wirioneddol sâl. Beth bynnag, mae'n siwr gen i bod dy fam wedi bod yn paratoi treiffl a swp o hufen tew arno, a theisennau gyda llwyth o eisin melys arnynt, a . . ."

"Dos allan, yr hen bitsh ! Paid â beiddio temtio'r holl sothach sy'n fy mol i wthio'i hun i fyny, neu mi fydd y llofft yn drewi am ddiwrnodau."

"Olreit ! olreit ! Rydw i'n mynd i ffonio rŵan i roi'r newyddion i gyd i mam, ond wiw i mi ddweud wrthi fy mod wedi bod mewn parti neithiwr neu mi fydd y greadures fach yn gofyn imi oedd 'na lawer o deisennau yno ! Diolch byth na fu hi ddim yn agos i'r parti !"

★   ★   ★

Oedd 'na lawer o deisennau yno ?

Hawdd y gallai Rhiannon chwerthin am ben ei mam yn gofyn y fath gwestiwn, eithr y mae'n debyg na fyddai fy mam innau ychwaith yn sylweddoli mai partïon gyda photeli o fodca ac o gwrw, a dim bwyd, a fi'n chwydu dros Marc a Dei ac yn gorfod cael fy llusgo adref, oedd fy mhartïon i bellach.

Yr oedd pethau'n wahanol erstalwm onid oeddynt, Ceri ?

Llond plât twrci Nadolig o deisennau bach, a hanner ceiriosen yn gorwedd yng nghanol yr eisin gwyn ar bob un ohonynt. Sefyll wrth y bwrdd a llygadu'r plât a mam bob yn ail, gan lyncu fy mhoer yn swnllyd wrth imi glywed yr arogl melys yn fy herian.

"O mam, ga' i honna, os gweli'n dda, 'chos 'does 'na ddim llawer o le iddi ar y plât, a hwyrach y gwnaiff hi lithro oddi arno wrth inni eu cymryd nhw i'r 'sgoldy. Plis mam—dim ond un ?"

"Wel, rydw i'n siŵr nad oes 'na ddim llawer mwy o le iddi yn dy fol di 'chwaith, a 'fyddi di ddim yn gallu bwyta briwsionyn yn nhe parti'r Ysgol Sul os gwnei di rawio bwyd i mewn i dy fol cyn iti fynd."

"Jyst *un* fechan fechan mam ? 'Doeddwn i ddim yn gallu bwyta dim byd ddoe ar ôl imi gael tynnu'r hen ddant 'na."

"O olreit. 'Fydd dim heddwch imi nes y cei di hi, mae'n siŵr. Dim ond un, rŵan, cofia."

"Ww ! Diolch iti, mam !"

Gweld y papur yn pilio fel gwyntyll oddi arni, a meddwl am roi fy nannedd yng nghanol y deisen ysgafn, feddal. O, mi oeddwn am lyfu'r eisin i ffwrdd i ddechrau ! Llyfu a llyfu a llyfu o'i hamgylch hyd nes doedd dim ond haen denau fodrwyog o eisin ar ôl, yn union fel pe bai mam wedi rhoi gormod o ddŵr ynddo.

"O mam, wnei di roi'r plât yma wrth f'ymyl i a Mari yn y parti rhag ofn i rai o'r plant eraill fwyta'r teisennau cyn inni gael mynd atyn' nhw ?"

"Bobl bach, Ceri ! Wyt ti'n byw ar fara a dŵr drwy'r flwyddyn, dywed ? Rŵan, gwranda di arnaf i'n siarad â thi, ngeneth i : mi wyt ti'n ddeg oed rŵan ac yn ddigon hen i wybod nad ydy bariaeth yn beth neis o gwbl. Plant *bach* sy'n hel yn eu boliau, Ceri, nid plant deg oed ; felly, mi wnei di fwyta beth bynnag sy'n digwydd bod ar dy gyfer di, a bod yn ddiolchgar am hynny, hefyd. Wyt ti'n deall ?"

"Ydw, mam."

"Olreit. Dos i nôl lliain sychu llestri glân imi i'w roi dros y teisennau, wnei di ?"

"Hwn sy' ar yr hors, mam ?"

"Nage pwt, yr un newydd yn y drôr isaf yn y llofft fach. Ond gofala nad wyt ti ddim yn ei dynnu o allan o'i blygiad 'chos rydw i wedi'i smwddio fo'n ofalus iawn yn arbennig ar gyfer heddiw."

Cofiaf eistedd wrth y bwrdd yn fy ffrog neilon binc a Mari'n fy mhwnio'n slei ac yn dechrau chwerthin am ei bod hi wedi syrthio mewn cariad gydag Aled Ffowcs. Yr oedd y rubanau cochion yn ei dwy blethen ddu yr un lliw â'i bochau tewion a oedd yn chwyddo fel dau falŵn wrth iddi hi wenu'n ddi-gywilydd ar ei charwr. Yntau'n tynnu'i dafod arni ac yn crafangio bwyd i'w geg.

"Paid ag yfed dy sudd oren, Ceri, neu mi wnaiff o fynd WHIW ! yn syth i mewn i'r twll lle maen' nhw wedi tynnu dy ddant di allan o'i soced !"

"Hy ! Wnaiff o *ddim*, Aled, 'chos rydw i'n mynd i yfed ar yr ochr dde."

"Wel, mi wnaiff o lithro o'r ochr dde i'r ochr chwith, ac mi fydd y twll yn crebachu fel cneuen ffrengig. Wedyn, pan ei di i dy wely heno mi fydd un ochr o dy wyneb di'n procio. Ha ha ! Dyna be' wnaiff ddigwydd ! Ha ha !"

"Edrycha be' wyt ti wedi'i wneud, Aled—mae Ceri'n crio rwan, diolch i *ti*, yr hen fwli. Mae'n iawn, Ceri, paid â gwrando arno fo, a phaid â rhoi dy sudd oren iddo fo 'chwaith."

"Mi gaiff hi gadw'i sudd oren. Ha ha ! Mae dy hufen iâ di'n dechrau toddi rŵan 'chos mae dy ddagrau di'n disgyn arno fo. Ha ha ! Edrycha Gwynfor ! Bŵ hŵ ! Bŵ hŵ ! Babi bach yn crio ! Babi bach yn crio !"

Llowciais fy sudd oren er mwyn i'r hen Aled Ffowcs weld nad oedd arnaf ofn i'r sudd fynd i mewn i'r twll.

"Go on ! Gwna hynny eto !"

"W ! Mi wyt ti'n hen fwli hyll Aled. Gobeithio na ddaw Siôn Corn â dim byd iti, ond mi ddaw o â rhywbeth i fi a Mari."

"A wnawn ni mo'i ddangos o i *ti* 'chwaith !"

"Ha ha ! Ha ha ! Siôn Corn. Pwy ydy'r babis bach 'ma sy'n coelio bod Siôn Corn yn ddyn go iawn ? Gw-gw-gw-gw-GWW, babis bach del ! Siôn Corn ! Ddaru ti glywed hynny, Gwynfor ?"

"Do. Lle mae'r brechdanau banana ?"

"O, dyma ti. Hel dy fol wyt ti o hyd, yr un fath â Ceri a Mari. Ond mae babis bach yn licio bwyd—ac maen nhw'n licio Siôn Corn !"

"Wel, mae'n rhaid bod 'na Siôn Corn iawn, 'chos mae o'n dod yma ar ôl inni gael te, ac mi wnaiff fi a Mari ddweud wrtho fo amdanat ti."

"Bah ! Nid Siôn Corn ydy hwnnw ! Mr. Williams, Heulfryn ydy o. Ddaru nhw 'i ddewis o am fod ganddo fo fol mawr, ac mi welais i o'n prynu paced o "gotton wool" yn y siop ddoe—i wneud wisgars iddo'i hun. Tynna di ei wisgars o, ac mi gei di weld !"

"O, mi wyt ti wastad yn dweud c'lwyddau, Aled Ffowcs, ac mae dy glustiau di'n rhy fawr."

"Cau dy geg rhag ofn i dy ddannedd eraill di ddisgyn plinc plonc ar y plât !"

Aled Ffowcs—ni wnaf i byth ei anghofio ef na'i driciau na'i ddireidi di-ben-draw. Ble'r oedd ef erbyn hyn tybed ? Diflannodd un noson tua thair blynedd yn ôl, gan adael nodyn i'w rieni yn dweud ei fod yn mynd i ffwrdd am ychydig. Nid oedd ganddo syniad i ble'r âi, dim ond canlyn ei drwyn a darganfod ei ffordd ei hun fel y gwnâi bob amser, o ran hynny. Y mae'n siŵr ei fod yntau wedi meddwi neithiwr hefyd, ac yn chwerthin am ei ben ei hun heddiw. Ie, chwarddai ym myw llygaid bywyd o hyd gan fwynhau pob eiliad orlawn ohono.

Siawns na fyddai ef yn poeni wrth feddwl am fynd adref i wynebu'i rieni ar ôl bod yn chwil gaib y noswaith gynt.

Wel, pam yr wyt tithau'n poeni, Ceri ?

Wn i ddim, mewn gwirionedd. Ond ambell waith mi fyddaf yn dychryn wrth feddwl fy mod i wedi plymio i mewn i'm byd newydd â'm llygaid wedi'u cau. Meddwi neithiwr, ac yn gorfod mynd yn ôl i Faesgwyn gan geisio ymddwyn fel pe na bai dim byd wedi newid. Serch hynny wedi newid y mae llawer o bethau. Yr ydwyf i wedi newid, neu wedi tyfu i fyny, efallai.

O, paid â phoeni am dy fod ti wedi meddwi, gan fod pawb yn meddwi weithiau. Mi wyt ti'n pendroni gormod am yr holl sefyllfa dim ond am dy fod yn teimlo braidd yn sâl. Dos i gysgu am ychydig bach, ac ar ôl iti ddeffro mi fyddi di'n chwerthin am dy ben dy hun yn meddwl am dy ddau fyd gwrthgyferbyniol!

Ond mi wyt ti'n gwybod o'r gorau bod gwahaniaethau mawr rhwng fy nau fyd i.

Oes, ond y mae'n rhaid iti dderbyn y ddau ohonynt.

Tyfu i fyny yr wyt ti Ceri. Dechrau sefyll ar dy ddwy goes dy hun, ac yn dechrau gweld dy fydoedd â'th ddau lygaid dy hun. Prynu paced o ' gotton wool ' o siop Dafis i wneud wisgars a wnaeth Siôn Corn. Mi welodd Aled hynny. Do, mi welodd Aled hynny.

VIII

Byseddai'r gwynt ei hun drwy'r gwair a oedd yn troelli'n araf o amgylch ein ffêr fel neidr yn ymgloi ar ei hysglyfaeth. Cerdded law yn llaw gyda Marc, gan fwynhau'r moethusrwydd anwaraidd hwn wrth deimlo ein bod ymhell o bobman, a dim ond sŵn y gwynt a rhuad pell y rhaeadr yn ysigo'r tawelwch. Anghofio am bawb a phopeth. O, mor braf oedd cael byw yn nhir neb am encyd !

" 'Dwyt ti ddim yn cytuno â fi rŵan, Cer, mai syniad da oedd dod yma am bicnic ? Dywed y gwir wrthyf— dim ond y gwir, cofia."

Gwenodd yn watwarus arnaf fel pe bai'n dyheu am imi golli fy nhymer, ond chwarddais a cheisio ymddangos yn flin ar yr un pryd, fel y gall cariadon yn iawn.

"Dwn i ddim pa greadur byw arall ar y ddaear a fyddai wedi meddwl am y fath syniad ! Mae o'n anghyffredin, a dweud y lleia', ond dyna fo, ddyliwn, os ydw i'n mynd allan gyda bachgen anghyffredin fedra' i ddim disgwyl dim byd gwell."

"Gobeithio dy fod ti'n meddwl ' anghyffredin ' mewn ffordd neis yn hytrach nag ' anghyffredin ' mewn ffordd od ! Ond tyrd i eistedd ar y bryncyn 'ma, inni gael profi brechdanau caws Hafina. Yli, mi fedrwn ni eistedd ar f'anorac i."

"Ond Marc, pe bai rhywun yn dy weld ti heb anorac yn y tywydd yma, mi fyddai o'n meddwl dy fod ti'n dechrau drysu !"

Edrychodd yn amyneddgar arnaf gan siarad yn araf fel rhywun a oedd yn ceisio ymatal rhag cynddeiriogi.

"Wel 'does 'na neb yn mynd i ngweld i yma, nagoes lolyn ?"

"Ond fedra' i ddim eistedd arni a dy weld ti'n rhynnu. Mi wna' i eistedd ar y gwair."

" 'R Arglwydd Mawr ! 'Does 'na ddim tewi arnat ti unwaith iti gael chwilen i mewn i dy ben ! Ond eistedda i lawr ar yr anorac 'ma, Cer, yn lle dy fod ti'n sefyll fel cofgolofn yng nghanol y diffeithwch."

Chwarddais yn isel wrth ei glywed mor benderfynol gan mai anaml iawn y siaradai fel hynny, mewn gwirionedd. Digon di-stŵr a fyddai bron bob amser ar wahân i'r adegau pan fyddwn yn ffraeo, ond buan yr oedd ei lais yn llyfnu a'r plisgyn gwylltineb yn pilio oddi ar ei lygaid— os gwylltineb ydoedd o gwbl.

"O, dyna welliant ! Tyrd yn nes ata' i rŵan—rhag inni oeri gormod. Mm, mi wyt tithau'n eitha' cynnes beth bynnag."

Teimlais yn gynhesach eto wrth iddo fy ngwasgu i'n dynn tuag ato. Ei glywed yn anadlu'n esmwyth, ac arogl cartrefol gwlân yn f'anwesu wrth i'm hwyneb gyffwrdd â'i siwmper dew. Gwrando ar chwyrlïo chwantus y rhaeadr yn adlais lleddf yn y pellter. O, yr oeddwn yn hapus heddiw.

"Hei, mae hi'n hen bryd inni fwyta'r brechdanau caws 'na, wyddost ti, neu mi fyddan nhw wedi sychu'n gorn. Ew ! mi ddylet ti fod wedi gweld Hafina'n ffromi pan wnes i ofyn iddi hi i'w torri nhw erbyn amser cinio, yn lle fin nos. Dyna lle'r oedd hi'n bwrw drwyddi gan ddal y gyllell fara fel rhyw gleddyf yn ei llaw, ac yn dweud bod newidiadau fel hyn yn drysu'i holl gynlluniau. Felly, ar ôl yr helynt ges i, paid â beiddio gadael briwsionyn ar ôl !''

"Wna' i ddim ! Ond edrycha be' sy' yma i olchi'r brechdanau i lawr.''

"Gwin !''

"Ia, gwin eirin ysgaw. Mae 'na un bachgen yn y Neuadd wedi gwirioni'n lân ar wneud gwin, ac mi ddylai o fod yn win da 'chos mae o wedi bod mewn bwced blastig yn 'i 'stafell o ers oesoedd.''

"Mm. Mae o'n dda, chwarae teg. Llawer gwell na'r brechdanau, mae arna' i ofn !''

"Dwn i ddim sut 'rwyt ti'n gallu byw o dan yr un gronglwyd â Hafina. 'Dwyt ti ddim yn syrffedu'n lân arni hi weithiau, dywed ?''

"O, chwerthin am ei phen hi 'rydw i gan amlaf, 'chos fedrith neb ei chymryd hi o ddifri'. Ond mae'n siŵr gen i, 'taswn i adre' ym Maesgwyn ac yn 'nabod rhywun fel Hafina, y b'aswn i wedi ffraeo efo hi ers talwm.''

Gwenodd arnaf yn araf-swil, fel pe bai'n deall fy nheimladau i'r dim.

"Wyddost ti, Marc, rhyw dderbyn pawb fel 'rydyn ni'n ei gael o mae llawer ohonon ni'n y Coleg. Dydyn ni ddim yn 'sgraffinio'r croen oddi ar wyneb neb, dim ond byw rhwng cromfachau yn ein byd bach ein hunain. O, f'aswn i byth yn gallu byw mewn byd mor afreal trwy f'oes.''

"Rydw i'n gwybod be' 'rwyt ti'n ei feddwl, Cer, ond mae'n rhaid imi ddweud mod i'r un mor hapus yn y Coleg ag 'roeddwn i adre' ar y ffarm ym Mhenrhewl. Mewn gwirionedd, rydw i'n hapusach o lawer yma.''

"Ond 'roeddwn i'n meddwl dy fod ti'n hapus adre'—mi oeddech chi i gyd yn edrych yn ddigon bodlon pan ddes i acw ar fy ngwyliau.''

"Diawcs, Cer, paid â 'nghamddeall i ! Rydw i wrth

fy modd yno, ond mae'n well gen i fyw ym Mangor, yn enwedig gan dy fod ti yma hefyd."

Gwenais yn wirion fel plentyn bach swil yn cael ei ganmol o flaen y dosbarth gan ei athro. Synhwyrais beth yr oedd am ei ddweud yn nesaf.

" 'Rydw i'n dy garu di, Cer—mae'n siŵr dy fod ti'n gwybod hynny erbyn rŵan."

Clywais flas y gwin yn loetran ar fy ngwefusau. Rhuad y rhaeadr. Rhuad y rhaeadr. Rhuad y rhaeadr. Rhuad y rhaeadr fel llew yn tresbasu ar y tawelwch.

"Mae'n rhaid bod y gwin 'na wedi mynd i dy ben di, Marc."

"O, paid â siarad yn wirion, lolyn ! Mae pawb yn gwybod bod gwin eirin ysgaw yn un eitha' cry', ond dydy o ddim yn ddigon cry' i feddwi dyn ar ôl iddo lyncu rhyw gegaid ohono'n unig ! Na, mi ydw i'n dy garu di, Cer, a dyna'r gwir."

"Rydw i'n dy garu di hefyd, Marc."

Edrychodd ei lygaid tawel i mewn i'm llygaid i wrth iddo fy nghofleidio'n dynn, a gwyddwn o'r gorau nad oedd defnynnau bychain o win yn dawnsio ar ei ymennydd yntau.

*   *   *

Teimlais chwa o euogrwydd yn rhedeg drwy fy nghorff wrth i'r llythyr a oedd ar y dreser saethu o flaen fy llygaid. Yr oeddwn wedi adnabod ysgrifen Mavis ar yr amlen pan ddaeth gyda phôst y prynhawn, ond gan fy mod wedi fy narbwyllo fy hun fy mod ar frys, teflais ef o'r neilltu. Er fy mod yn amau, cyn ei agor, beth oedd ei gynnwys, serch hynny cefais gryn ysgytwad wrth ei ddarllen.

Annwyl Ceri,

Y mae'n sicr nad wyt yn synnu o gwbl wrth dderbyn y llythyr hwn, gan fy mod wedi dweud wrthyt tuag wythnos yn ôl y byddwn yn ysgrifennu atat ti a Rhiannon er mwyn rhoi'r newyddion ichi am Mam. Wel, bu Mam farw prynhawn ddoe. Yr oedd fy nhad a Gwyneth gyda hi ar y pryd, ond yr oeddwn innau wedi mynd o'r ysbyty i gael hoe fach.

Fe fydd y gwasanaeth angladdol yn cael ei gynnal yng Nghapel Horeb, ar ddydd Gwener, Hydref 24, am ddau o'r gloch.

Cofion,

Mavis.

Gallwn ei gweld yn awr yn beio'i hun yn ddi-drugaredd am nad oedd hi yn yr ysbyty ar y funud y bu ei mam farw. O, pam yr oedd yn rhaid iddi fod mor llawdrwm â phobydd arni ei hun bob amser ? Ceisio waldio pawb a phopeth i'w le priodol gyda'i geiriau llosg. Yn anffodus, nid oedd ganddi arlliw o anwyldeb Rhiannon a fyddai weithiau'n dweud celwyddau gwyn dim ond er mwyn plesio pobl, eithr y gwir crafog, a gwae i deimladau pawb, oedd hanes Mavis.

Efallai ei bod hi wedi disgwyl i Rhiannon a fi fynd i'w gweld hi heddiw, gan ei bod yn gwybod nad oes gennym ddarlithiau ar brynhawn dydd Mercher.

Ond mynd allan gyda Marc wnest ti, a gadael y llythyr ar y dreser.

Wel, 'doedd gen i ddim syniad bod ei mam wedi marw.

Paid â siarad yn wirion ! Mi ddaeth y llythyr cyn iti fynd gyda Marc, ond 'doedd arnat ti ddim eisiau'i ddarllen, rhag ofn iddo ddrysu dy gynlluniau di. Hy ! 'Rwyt ti mor groen-denau â Hafina, myn

50

diawl ! Yfflyn o ffrind sâl wyt ti, Ceri. Beth
bynnag, pam nad ei di i'w gweld hi heno ? Awr
ar y bws ac mi fyddi di yno.

Ond mae'n rhaid imi orffen traethawd erbyn y bore,
ac mi gymerith oriau imi i'w ysgrifennu'n daclus.

Ia, dyna ti, Ceri. Paid â meddwl dim mwy am
Mavis druan, ond meddylia di am dy draethawd.
Gwell o lawer. Ia, meddylia di am dy draethawd,
Ceri.

★   ★   ★

Piciodd ing nodwyddau drwy fy nghorff wrth i'r dillad
gwely oer gluro'n erbyn fy nghroen a oedd yn teimlo fel
pe bai wedi cael ei ysgraffinio'n gras ag emeri. Golchwraig
yn gwasgu fy ngewynnau. Daliai cysgod arogl swrth nwy
i ystelcian yn y llofft, a dyheais am deimlo'r gwynt oer yn
chwipio fy wyneb unwaith eto yn lle'r mwgwd afiach
hwn. Cloc y gegin yn taro dau. Rhiannon allan o hyd.
O, yr oeddwn wedi blino, a'm meddwl wedi ymglymu
gormod i ildio i gwsg.

'Rydw i'n dy garu di, Cer,—mae'n siwr dy fod ti'n
gwybod hynny erbyn rŵan.

Rydw i'n dy garu di, hefyd, Marc.

Wyt ti'n sicr dy fod ti wedi dweud y gwir wrtho fo ?
Wrth gwrs 'mod i'n sicr ! Fyddwn i ddim yn
gallu mynd allan gyda Marc o hyd ac o hyd oni
bai 'mod i'n ei garu o.

Mae grym arferiad yn gallu cymryd lle cariad yn aml
iawn, Ceri, ac mewn gwirionedd, 'rydw i'n dechrau
amau dy eiriau di. Cofia bod blas gwin ar dy wefusau
di, ac mae blas gwin yn dylanwadu ar flas cusanau, a

blas cusanau'n dylanwadu ar flas cariad. Fe chwistrell-
wyd gwin i mewn i dy wythiennau di i leddfu'r
gwirionedd a chreu gwynfyd, yn union fel y gwthir
morffia i mewn i wythiennau pwdr i leddfu poen a
thwyllo'r claf. 'Dydy pobl ddim yn gwella oddi wrth
gancr. Mae'n nhw'n diodde' cymaint fel eu bod yn
gweiddi dros yr holl ward cyn i'r nyrs ddod i chwis-
trellu rhyw ragflas o farwolaeth i mewn iddynt.
Pam nad aethost ti i weld Mavis heno ?

O, 'rydw i'n mynd ddydd Gwener, felly bydd yn
ddistaw. Bu mam Susi Trefor farw hefyd—tybed
a ydwyf wedi ysgrifennu digon ar *Enoc Huws* yn fy
nhraethawd ?   Efallai 'mod i wedi pwysleisio
gormod ar *Rhys Lewis*, ac wedi anwybyddu *Enoc
Huws* ychydig bach.

Naddo siŵr. Mae dy draethawd di'n iawn, ond cofia
nad oedd Susi Trefor ddim yn caru Enoc Huws.

Nid wyf yn meddwl y buaswn innau wedi syrthio
dros fy mhen a 'nghlustiau mewn cariad gyda'r
bastard ychwaith.   O, mae arnaf i eisiau cysgu.
Beth a allaf ei ddweud wrth Mavis ?   Mae pawb
yn gwybod bod gwin eirin ysgaw yn un eitha' cry'.
Bron cyn gryfed â morffia.

Dydyn nhw ddim yn chwistrellu gwin eirin ysgaw
i mewn i bobl sy'n marw. O, mae 'na flas cynnes,
crafog ar y gwin. Paid ag yfed dy sudd oren, Ceri,
neu mi wnaiff o fynd WHIW ! yn syth i mewn i'r
twll lle maen' nhw wedi tynnu dy ddaint di allan o'i
soced !

Ha ha ha ! Mi wyt ti wedi cael dy dynnu allan o dy
hen fyd hefyd, Ceri, ac nid wyt yn caru Marc. Mi
wyt ti wedi twyllo Marc, ac mi wyt ti'n dy dwyllo dy
hun, ond paid â cheisio fy nhwyllo innau, Ceri !
O na, paid â gwneud hynny !

IX

Pliciodd bigau clystyrrog y gwrid ar fy wyneb fel chwysigod yn dadmer o dan bwysedd ager. Meddwl am yr angladd, a chofio fy mod wedi tybied nad oedd y gweinidog byth yn mynd i orffen gweddio, ac y byddai Rhiannon a fi'n colli'r bws yn ôl i Fangor. Y mae'n sicr y buasai llawer yn dweud fy mod yn hunanol, eithr, ar fy llw, nid oeddwn yn gallu cydymdeimlo â Mavis a'i theulu fel y buaswn wedi'i ddymuno. Na, fe'm hataliwyd rhag gwneud hynny. Teimlo'n lleddf-gysurus wrth eistedd i lawr ar sedd oer, codi i fyny i ganu, a phlygu fy mhen pan oedd y gweinidog yn gweddïo. Ymddwyn fel pyped bach ufudd.

"'Does dim posib' dy fod ti'n meddwl am Marc, gan dy fod ti'n edrych yn rhy ddigalon."

Clywais y llais yn fy llusgo'n ôl i'r presennol—llais pell Rhiannon yn treiddio trwy wadin.

"O, 'roedd fy meddwl i bellteroedd i ffwrdd. Meddwl am Mavis 'roeddwn i. Wyddost ti, mae'n siŵr gen i mai'r ddwy ohonon ni ydy'i ffrindiau gorau hi, ond dydyn ni ddim wedi rhoi affliw o ddim cysur iddi hi, naddo ?"

"Naddo, mae'n debyg, ond cofia ei bod hi'n anodd siarad â Mavis bob amser."

"Ond heddiw, 'roedd hi'n *amhosibl* gwybod be' i'w ddweud wrthi hi."

Edrychodd Rhiannon arnaf â golwg dosturiol yn murmur yn ei llygaid tywyll, fel pe bai'n ddigon bodlon rhoi'r holl fyd er mwyn ei helpu.

"Mi fydd yn rhaid inni fynd i'w gweld hi eto toc, 'chos fedrwn ni ddim disgwyl iddi hi ddod yma nes i'r storm chwythu heibio. Ond paid ag edrych mor ddigalon —'does 'na ddim byd y gallwn ni 'i wneud iddi mewn gwirionedd, wyddost ti."

"Nagoes, 'ddyliwn."

"O tyrd inni gael mynd allan am 'chydig bach. Rydw i'n barod ers oesoedd, ac mae'n siŵr bod gweddill y criw'n y dafarn erbyn rŵan. Mi gawn ni amser iawn, Ceri."

Tonnodd ei llaw'n esmwyth dros ei gwallt wrth i gudynnau ohono anwesu gwddf du, uchel ei siwmper, a siffrwd yn berffaith ar gwfl ei hanorac goch. Gwisgo trowsus claerddu, a'i wniadau'n unionsyth ar ganol ei choesau. O, hawdd y gallwn ddeall pam yr oedd ganddi gymaint o gariadon.

"Wel, wyt ti'n dod ?"

"O nac ydw—fedra' i ddim wynebu'r holl sŵn a'r canu sy'n y dafarn—mae gen i andros o gur yn 'mhen, ond dos di. Mi ddeua' i yno ar ôl i hwn wella."

"Ond mi wna' i aros amdanat ti."

"Bobl bach, paid â bod yn wirion ! Beth bynnag, mae'r Phil 'na sy'n cymryd gwyddoniaeth yn dy ddisgwyl di, felly dos yn dy flaen, neu mi fydd o'n rhoi asid yn dy ddiod di os byddi di'n hwyr !"

Gwenodd arnaf fel pe bai'n meddwl mai myfi oedd y ffrind orau yn yr holl fyd.

"Olreit, ond ga' i nôl diod o ddŵr neu rywbeth iti cyn imi fynd ?"

"Na, rydw i'n iawn, diolch iti, ond os gweli di Marc, dywed wrtho fo 'mod i'n dod mewn rhyw awr. Mae'n siŵr y bydd y creadur yn meddwl 'mod i ar fy ngwely angau, 'chos mae'r ddau ohonon ni wastad yn y dafarn ar yr un adeg bob nos Wener."

"Ond mae heno'n eithriad. Iawn, Ceri, mi ddyweda' i wrtho. Wyt ti'n siŵr dy fod ti'n iawn, rŵan ?"

"Ydw, diolch iti—cofia fi at Phil !"

"O, mi wna' i, ond paid â meddwl 'mod i'n mynd i adael iti fod ronyn mwy cyfeillgar na hynny efo fo !

Hei, rhaid imi fynd—paid â bod yn rhy hir neu mi fyddwn ni wedi yfed y ddiod i gyd! Hwyl rŵan!"

"Hwyl, Rhiannon."

Diffoddodd y golau wrth iddi fynd allan, eithr serch hyn, nid ydoedd ond megis cyfnos yn yr ystafell gan fod y llenni ar agor, ac yn y pellter, gallwn weld gwawl mwyn yn llenwi ffenestri'r tai ar y bryn. Eu gweld yn gwsno wrth imi grychu fy llygaid. O, ergydiai yn gordd fy mhen o hyd. Sisial parhaus y nwy'n ymnyddu i mewn i'r distawrwydd. Sisial, sisial, parhaus. Dŵr yn sisial mewn sosban. Sosban fawr ddu ar dân llonydd, coch, a'r dŵr yn sboncian ynddi'n ddireidus.

Ww! Mae hi'n boeth o flaen y tân 'ma, ond rydw i'n licio nos Wener, 'chos mae Mam yn gadael imi witsiad i dad ddod adre' o'r stem bnawn. Dim ysgol 'fory, na dydd Sul, dim gwaith cartre' i'w wneud i Miss Jones, a dim Aled Ffowcs. Dim ond fi a mam a Phero yn y tŷ, ond mi fydd dad yma toc, 'chos mae'r dŵr yn dechra' berwi. O, mae Pero'n gwneud imi deimlo'n ddiog, ond dydw i ddim yn mynd i 'ngwely rŵan 'chos mae 'na ogla' rhy dda'n dod o'r gegin fach. Bacwn yn sio'n araf mewn saim poeth poeth, ac mi ydyn ni'n mynd i gael ffa hefyd, 'chos wnes i helpu mam i blicio swp ohonyn nhw gynna'. Rydw i'n mynd i roi lwmpyn o fenyn ar y ffa, a'i weld yn toddi'n neis, a dowcio pob ffeuen i mewn iddo fo cyn 'i bwyta. Brysia adre' dad! Mae'n siŵr wnaiff dad ddim edrych ar 'i swper tan bydd y tatws newydd 'na gawson ni gan Nain ar 'i blât o, ac mi ga' i'r rhai bach, 'chos dyna'r rhai gora'. Torri nhw drwy'r canol a'u gweld nhw'n glynu at y gyllell. Am sgram!

Unwaith eto, glynnodd awyrgylch diddan y cartref ynof ac yn awr, nid oedd gennyf unrhyw awydd i'w grafu oddi arnaf. Atgofion am bobl a phethau a fu'n moldio fy nghymeriad. Y mae'n sicr bod atgofion yn plycio'n ôl i feddwl Mavis heno, hefyd, er, efallai, ei bod hi'n gorfod atal pob adlais haerllug pan yw ond yn egino, megis taflu pridd dros flaguryn. Eithr drwy'r pridd y daw'r blaguryn, yn ôl i'r wyneb o hyd.

Mam yn eistedd ar y gwely a'i bag dydd Sul a'i menig ar ei glin.

" 'Dwyt ti ddim yn mynd i aros gyda dad yn yr ysbyty eto heno, nagwyt mam ?"

"Wel, rydw i'n meddwl bod yn well imi fynd ato fo am 'chydig o nosweithiau eto, pwt—i wneud yn *siwr* 'i fod o'n iawn."

"Ond pryd mae o'n *mynd* i fod yn iawn, mam ?"

Ew, 'roeddwn i'n meddwl am funud mod i'n mynd i gael swaden, 'chos mi ddaru'r sbrings a fi gael braw wrth i mam godi i fyny'n sydyn. O mae'n iawn, hefyd. Isio chw'thu'i thrwyn, dyna'r cwbwl.

"Mi wnaiff dad wella toc, Ceri, mi gei di weld. Yli, wyt ti'n mynd i yfed y llefrith cynnes 'ma mae Anti Catrin wedi'i wneud iti ? Mi wnei di gysgu'n braf ar ôl 'i yfed o, ac mi wnei di freuddwydio am betha' neis hefyd."

"Olreit. Ga' i un o'r bisgedi siocled 'na hefyd, os gweli'n dda ?"

"Cei siŵr, pwt. Dyma ti, ond gofala nad wyt ti'n colli briwsion ar y gwely, dyna eneth dda."

Llyfu croen y llefrith, ac edrych arno'n hongian ar fy nhafod fel y gannwyll 'na'n nhrwyn Aled Ffowcs. Ach a fi ! Dydw i ddim yn licio Aled, a dydw i ddim yn licio llyfu croen 'chwaith. Sbecian a gwenu'n swil ar mam wrth imi gnoi o gwmpas y fisged, a dal fy llaw fel bowlen i ddal y briwsion.

"Wel, mae'n rhaid i mam fynd rŵan, Ceri, neu mi fydd y bws wedi pasio. Ond mi fydda' i yma i dy weld ti eto'n

y bore, yn syth ar ôl iti ac Anti Catrin ac Yncl Wil gael
brecwast. Rŵan, os gwnei di fod yn eneth dda mi gei di
bresant bach gen i yfory. Dim ond un bach, cofia, ac
mae'n rhaid iti fod yn eneth dda gynta."

"Be' ydy o, mam ? Plïs mam, be' ydy o ?"

"Mi gei di weld yn y bore. Rho'r dillad gwely 'ma
drosot ti'n dynn rŵan, iti gael bod yn gynnes braf. Dyna
eneth dda. Mi gwela i di'n y bore. Iawn ?"

"Olreit."

"Nos da, pwt."

"Nos da, mam, a dywed wrth dad am frysio adre'."

Teimlais lwmp mawr yn fy ngwddf wrth imi glywed
mam ac Anti Catrin yn siarad yn ddistaw yn y lobi.
Clywed sŵn traed mam yn mynd i lawr y stepiau, a'r
drws yn cau'n sownd. Be ga' i i frecwast 'fory, tybed ?
Mi fydd Anti Catrin yn siŵr o ddod i bipian wrth ddrws
y llofft toc, fel y gwenolia'd 'na'n pipian dros y bondo'n
nhŷ Nain, jyst i weld 'mod i'n cysgu. Ond mi wna' i droi
at y wal, a chocsio mod i wedi bod yn eneth dda, 'chos
wnaiff hi mo ngweld i'n crio wedyn. Hwyrach bod
mam wedi cyrraedd 'r ysbyty rŵan. Mynd ar y bws,
pasio'r siop, i lawr allt y Ffynnon, pasio tŷ Mari, pasio'r
tŷ crand 'na. Ww, mae hi'n pasio lot o lefydd. Lle mae
hi'n mynd ar ôl pasio'r tŷ crand, tybed ? Dydw i ddim yn
gw'bod, ond gobeithio bod dyn y bws yn gw'bod.
O, dydw i ddim yn licio clywed sŵn ceir yn y ffordd, ond
fedra' i ddim rhoi 'mhen dan dillad, 'chos hwyrach gwna' i
fygu. Ew, 'does arna' i ddim isio mygu, neu cha' i ddim
gweld mam yn y bore. O, pam na wnaiff mam ddim dod
yma *rŵan* ? Rydw i'n siŵr bod dad yn ddigon da i aros
ar ei ben ei hun yn yr ysbyty 'chos ddaru mam gysgu efo
fo neithiwr, a'r noson cyn hynny. Hy ! Pan ddaru Aled
daflu carreg at fy mhen i, mi oedd o'n brifo am dipyn bach,
ac yn gwaedu, ond mi oedd o'n well wedyn, a dydy

ffrwydrad ddim yn gallu taflu cerrig mor galed ag Aled chos mae *o'n* fawr.

O, dydw i ddim yn licio cysgu'n rhywle arall. Mae'n well gen i gysgu adre 'chos dydy Tedi ddim yn edrych 'r un fath yn y gwely yma. Ond mae'r gola' bach 'ma'n neis. Mae gen i ola' bach adre' hefyd, chos mae'r plant mawr yn yr ysgol yn d'eud bod 'sbrydion yn dod allan yn y t'wyllwch. Ew, faswn i ddim yn licio bod yn geffyl a gorfod gweithio yn y pwll, ond mae'r ceffyla'n hapus yno, medda' dad. Mae'n siŵr bod Blaci'n methu deall lle mae dad. Mae'n siŵr 'i fod o'n methu deall lle mae'r teisenna' 'na chwaith, chos mi fydda' i'n gwneud llond tun snapin iddo fo weithia', gyda blawd a dŵr a choco. Ar ôl iddyn nhw fod yn y popty mi fedra' i bigo'u topia' nhw fel 'rydw i'n pigo briw ar 'mhenglin ar ôl imi syrthio, ac maen nhw'n feddal neis y tu mewn. Wnes i roi un i Aled, ond mi ddaru o dd'eud 'i bod hi fel swp o gachu tail yng Nghae'r Gors, ond mae Blaci'n eu licio nhw.

Mae Anti Catrin yn hir heno. Hwyrach daw mam i fyny ! Na, wnaiff hi ddim chwaith. Ond mae Anti Catrin wastad yn glên efo fi, 'chos mae hi'n rhoi lot o fferins a bisgedi imi, ac mae Yncl Wil yn rhoi swllt imi am fod yn eneth dda bob dydd. Rydw i'n eneth dda adre' hefyd. Ddaru mam dd'eud wrthi hi ddoe 'mod i'n cael fy sbwylio weithia'. Mi oedd mam yn cocsio bod yn flin, ac yn d'eud basa hi'n cael gwaith mawr efo fi ar ôl imi fynd adre', ond 'doedd Anti Catrin ddim yn meindio. Cysgu adre', a dod yma'n y dydd yn lle mynd i'r ysgol. Ia, mi fasa hynna'n iawn ! Mi ga' i weld mam a'r anrheg yn y bore. Be' ydy o, tybed ? Fedra'i ddim clywed Pero'n cyfarth o'r llofft 'ma. Pero bach druan, adre' ar 'i ben'i hun. Mi fasa fo wedi hen gyfarth wrth i'r drws 'na gau gynna'. Dyna pam y gwnes i grio, 'chos mi ges i fraw pan ddaru o gadw sŵn, ond rydw i'n iawn rŵan.

Sŵn Anti Catrin ac Yncl Wil yn siarad yn y gegin, jyst fel mam a dad ar ôl y stem bnawn. Mae Pero'n lwcus, chos mae o'n cysgu llwynog ar y mat ac yn cael gwrando ar bopeth maen nhw'n 'i dd'eud, ond fedrith o ddim mynd i'r ysbyty atyn nhw, chwaith.

O, mae'r gwely 'ma'n feddal neis. Gafael yn dynn yn Tedi. Sŵn ceir. Sŵn dŵr yn rhedeg i lawr y sinc. Cysgu'n braf tan y bore. Mae hi'n gynnes neis yma. Sŵn siarad. Sŵn siarad. Mi fydd mam yma yn y bore. Mi fydd mam yma yn y bore.

★   ★   ★

Daeth tawelwch ysgytiol i'r ystafell fel pe bai'r holl ddŵr yn y sosban wedi berwi'n sych. Yr oeddwn wedi bod yn eistedd yn f'unfan ers rhyw awr, ac erbyn hyn tybiodd y tân nwy 'i fod wedi gweithio'n ddigon caled am ei bres. Ochneidiais wrth gofio am y grafanc hiraeth a'm daliodd y noson honno yng nghartref Anti Catrin. Druan ohonof! Serch hyn, y mae'n sicr nad oedd ond arlliw eiddil o ddyfnder hiraeth Mavis. Dychwelodd mam o'r ysbyty bore trannoeth, eithr unwaith eto gwthiodd y blaguryn ei hun drwy bridd y blynyddoedd.

X

Cwlwm gwydn yn llenwi fy ngwddf wrth imi sipian y coffi, a phob defnyn ohono fel pe bai'n sychu ar fy nhafod cyn imi gael cyfle i'w lyncu. Miloedd ar filoedd o binnau bach yn cyffwrdd yn ysgafn â'm pen. O, diolch i Dduw nad oedd Rhiannon yma gan na fuaswn yn gallu goddef ateb ei chwestiynau eiddgar. Sylwais am y tro cyntaf ar y lludw sigarets a oedd wedi'i ysgeintio yma ac acw ar hyd y llawr, a phwysodd arogl hen fwg fel syrffed arnaf. Gweld ysmotiau bychain gwyn fel croen sych ar y ffenestr fudr. Digon o sylltau'n fy mhwrs, ond dim un darn deu-swllt i'w roi yn y meter. Eistedd fel rhywun dieithr ar ymyl y gadair, a'm calon yn llamu i'm gwddf wrth imi weld Marc, unwaith eto, yn eistedd yn ham-ddenol yn ei ystafell gan ddweud wrthyf nad oedd am ddod allan gyda mi nos Sadwrn. Blinder a gwaradwydd yn cyd-gorddi'n ffyrnig ynof.

"Dim ond am un nos Sadwrn, Cer."

"Yli, Marc, os na fedri di fy nghymryd i allan nos Sadwrn, paid â thrafferthu siarad â fi'n ystod yr wythnos 'chwaith ! Mae'n rhaid dy fod ti'n meddwl mai slwten ar sustem fel "Dial a Date" ydw i, sy' ond yn cael y fraint o fynd allan gyda thi pan fydd hynny'n digwydd bod yn gyfleus i'r Bod Mawr 'i hun."

Cododd o'i gadair gan wenu'n amyneddgar arnaf fel pe bawn i'n hollol afresymol a'i fod yntau'n gallach o lawer. Fy sarhau'n waraidd heb ddisgwyl imi golli fy nhymer na chael fy mrifo. O, pam nad oedd yn gwylltio ? Pam y daliai'i lygaid i fod mor bŵl â llygaid Pero pan oedd o'n gorwedd ar y mat ers talwm ?

"Bydd yn synhwyrol rŵan, Cer. Yr unig beth rydw i wedi'i ddweud ydy 'mod i'n mynd allan gyda'r bechgyn nos Sadwrn, ond . . ."

"Wel dos efo'r bechgyn ! Dos efo'r bechgyn bob nos, gan na wnaiff o affliw o ddim gwahaniaeth imi."

Teimlais yn ysgafn ysgafn, fel pe bawn wedi dechrau meddwi, a chymeradwyid y gwylltineb gan guriadau tanbaid yn waldio drwy fy mhen.

"Cofia di rŵan, Marc, paid â beiddio gofyn imi ddod allan gyda thi byth eto. Pryna gi i ti dy hun yn fy lle—mi

wnaiff hwnnw ufuddhau i dy holl orchmynion di, ac aros
yn 'i gwt pan fyddi *di* wedi digwydd syrffedu arno fo."

"Efallai y pryna' i gi, myn diawl. O leia', mi fedra' i
roi mwsel ar geg hwnnw a rhoi cic yn 'i dïn o pan fydd
o'n mynd yn afreolus."

Gwasgodd gorn gwddf darn o bapur ffeil yn ei ddyrnau
a'i hyrddio i mewn i'r fasged. Yna, syllu arno fel ynfytyn
cyn troi tuag ataf a chywilydd yn ystwyrian yn ei lygaid.

"O, mae'n ddrwg gen i, Cer,—wir mae'n ddrwg gen i
mod i wedi colli 'nhymer, ond rho gyfle imi esbonio."

"Paid â *cheisio* esbonio. 'Does gen i mo'r awydd na'r
amynedd i wrando arnat ti na 'd'esgusion."

Mae'n rhaid dy fod ti'n meddwl mai slwten ar sustem
fel ' Dial a Date ' ydw i.

Pam na wnei di gau dy geg ?

Ha ha ! Efallai y pryna' i gi, myn diawl.

O, meddylia am rywbeth arall. 'Rydw i'n mynd i
anghofio am yr helynt—ac am Marc hefyd.

Ond ni fedri di anghofio am Marc. Na, mae'r chwant
yn ymgripian yn ôl i dy gorff. Mae dy dymer di
wedi gostegu a'r teimlad wedi dod yn ei ôl. Dim
ond am un nos Sadwrn, Cer. Un noson, dim mwy.

Fe all llawer o bethau ddigwydd mewn un noson.
Yr unig beth rydw i wedi'i ddweud ydy 'mod i'n
mynd allan gyda'r bechgyn nos Sadwrn. Yr unig
beth 'rydw i wedi'i ddweud ydy . . .

Cau dy geg !

Mi oeddet ti ar fai yn ffraeo gyda fo, wyddost ti.

'Rydyn ni wedi ffraeo o'r blaen—ugeiniau o
weithiau.

O do, ond nid fel hyn, Ceri. Na, nid fel hyn. 'Rydw
i'n dy garu di Cer,—mae'n siwr dy fod ti'n gwybod
hynny erbyn rŵan. Wel dos efo'r bechgyn !

O, cau dy geg. Cau dy geg.

Dyna ryfedd bod ei agwedd wedi newid. Ha ha! Efallai'i fod o wedi dechrau amau rhywbeth. Wyddost ti ddim, Ceri!

Paid â dweud dim mwy. O, *plis*, paid â dweud dim mwy.

Dos efo'r bechgyn bob nos, gan na wnaiff o affliw o ddim gwahaniaeth i mi. Hy! Celwydd noeth oedd hynny Ceri. Mae arnat ti eisiau Marc, felly pam na wnei di ddweud y gwir? Ha ha! 'Rydw i'n gwybod. O ydwyf, rydw i'n gwybod yn iawn.

★   ★   ★

"Wel, dyma'r 'Sleeping Beauty', wedi deffro o'r diwedd."

Clywais lais Rhiannon yn dirdynnu drwy fy mhen. Fy llygaid yn brifo fel pe bai rhawiaid o galch wedi cael ei daflu iddynt.

"Cer-i! Paid â mynd yn ôl i gysgu! Hei, deffra! 'Rydw i newydd gael ein swper mawreddog ni gan Hafina—brechdanau caws unwaith eto."

"Mwy o reswm pam na ddylwn i godi o 'ngwely. Faint o'r gloch ydy hi?"

"Chwarter wedi saith. Oes arnat ti eisiau siwgr yn dy goffi heno?"

"Dwy lwyaid," meddwn, gan eistedd i fyny yn fy ngwely a gwenu'n llipa arni. Coffi heb siwgr i mi bob amser, ar wahân i'r adegau pan fyddwn yn flin, neu pan fyddai gennyf draethawd i'w ysgrifennu, a da y gwyddai Rhiannon hynny.

"'Does dim rhaid iti yngan gair wrthyf, wyddost ti, ond mi welais i Marc yn y Coleg, ac mi oedd o â'i ben yn 'i blu hefyd. Felly, 'rydw i'n cymryd yn ganiataol eich bod chi wedi ffraeo."

Trodd y coffi'n gyflym, a phe bai angen, fe fyddai wedi gwneud hynny am oriau wrth ddisgwyl imi adrodd yr hanes.

"Mi ddaru o ddweud wrthyf 'i fod am fynd allan gyda'r bechgyn nos yfory yn lle dod allan gyda fi. Wrth gwrs, mi oedden ni wedi trefnu i fynd i weld y ffilm, ond 'roedd yn rhaid iddo fo newid 'i feddwl ar y munud diwetha'."

Swniai mor syml, ac am ennyd fer, tybiais fy mod wedi breuddwydio am yr holl helynt. Mor ddi-lol, mor bendant, ac mor wir.

"O dim ots Ceri. Tacla' felly ydy bechgyn, ond paid â gadael iddyn nhw dy boeni di. Yli, tyrd i barti Laura nos yfory—mae hi wedi dyweddïo gyda rhyw greadur gwirion,—Stevie ydy'i enw fo, ac mae pawb o'r adran yn mynd i'w gweld hi'n dangos 'i hun yn y parti mawr 'ma. Mi gawn ni amser iawn yno."

"Ond mi fydd yn rhyfedd mynd allan heb Marc."

"O, mi fyddi di'n siŵr o fwynhau dy hun, a dos efo rhyw fachgen arall am sbel i wneud Marc yn genfigennus yn lle dy fod ti'n mynd allan gyda'r un hogyn o hyd ac o hyd."

Yr oeddwn yn rhy ddiymadferth i'w hateb, a beth bynnag, gwyddwn o'r gorau nad oedd yn bwriadu bod yn gas, gan ei bod hithau'n newid ei chariadon fel y newidiai'i dillad, heb feddwl dwywaith amdanynt.

Dim ond sŵn llwfr y ddwy ohonom yn yfed coffi cyn i Rhiannon daro'i myg ar y dreser mor bendant ag ocsiwner.

"Hei, oeddet ti'n gwybod bod David Wallis a Sheila Hughes yn mynd i briodi?"

"Nag oeddwn. Pam ddiawl wyt ti'n sôn amdanyn *nhw* rŵan?"

"Wel, mae'n siŵr gen i na ddaru ti roi cyfle i Marc druan esbonio pam 'roedd o'n mynd allan gyda'r bechgyn am unwaith, naddo ?"

Codais fy llygaid fel pe bai'n gas gennyf glywed ei enw.

Rhiannon yn cil-wenu arnaf gan ysgwyd ei phen yn araf.

"O, mi wyt ti wedi gwylltio am ddim byd, wyddost ti, Ceri ! Yr holl stŵr 'ma am ddim byd."

Chwarddodd yn uchel ond daliais innau i yfed fy nghoffi. Rhyfedd fel y llwyddai i weld yr ochr orau i bob sefyllfa.

"Be sy mor ddigri ?"

Pesychodd yn ffurfiol wrth geisio ad-feddiannu'i hun.

"Wel, mae David Wallis yn priodi, ac mae 'na barti iddo fo nos yfory yng Naghaernarfon—parti i fechgyn yn unig. A chan fod David a Marc yn yr un adran, a chan nad ydy Marc erioed wedi gwneud tro sâl â thi o'r blaen, mae'n rhesymol tybio mai dyna lle mae o'n mynd. 'Rydw i'n gwybod bod Phil yn mynd yno, beth bynnag."

Eisteddais i fyny'n syth a syllu'n daer arni gan hanner amau a oedd wedi dweud y gwir wrthyf. Efallai nad oedd hi ond yn ceisio fy nghysuro. Eithr, mewn gwirionedd, yr oeddwn, erbyn hyn, yn ei hadnabod yn ddigon da i wybod na fyddai'n mentro dweud celwydd am rywbeth a oedd mor bwysig imi.

Gwrido a'm tafod yn teimlo fel toes yn fy ngheg.

"Wel pam na fuasai'r ffŵl wedi dweud mai yno 'roedd o'n mynd ?"

"Pan fyddi di'n gwylltio, Ceri, 'does 'na ddim llawer o siawns i neb arall ddweud bŵ, ac mae'n siŵr bod Marc erbyn y diwedd yn meddwl pam ddiawl y dylai o esbonio popeth."

Gwenais yn wirion arni gan ddiolch unwaith eto mai Mavis ac nid Rhiannon a oedd wedi gorfod mynd oddi yma.

"Wel, dyna storm arall wedi chwythu heibio, ond 'rydw

i'n mynd i adael i Marc stiwio am 'chydig bach. Mi gaiff
o fynd i'w barti nos yfory, ac mi awn ninnau i fwynhau'n
hunain ym mharti Laura. Iawn !"

"Gwych ! Ac mi gei di weld y bydd o yma ben bore
Sul yn fêl i gyd !"

"Wel, os na ddaw o yma, mi fydda' i'n rhedeg nerth fy
nhraed ato fo i'r Neuadd !"

Chwerthin gyda Rhiannon. Chwerthin gyda Rhiannon
am fy mhen fy hun. Chwerthin gyda Rhiannon am ben
Marc. Chwerthin gyda Rhiannon am ben bywyd.

XI

Trois o gwmpas yn ddioglyd yn fy ngwely. Ugain
munud i wyth. Na, nid cloch y drws oedd honna.

Dôs yn ôl i gysgu, Ceri. Dydy Marc byth yn codi
mor fuan â hyn, yn enwedig ar ôl iddo fod mewn
parti !

O, gobeithio na ddaw o yma am oriau eto, mae 'mhen
i'n teimlo fel hen feipen, a 'does dim rhyfedd ychwaith ar
ôl neithiwr. Laura'n chwil gaib. Siarad cant-a-mil fel real
hen janglen ac yn digwydd taflu'i llaw chwith o flaen
llygaid pawb fel pe bai'n swatio piwiaid. Bobl bach, mae
rhywun yn canu'r gloch hefyd. Drws llofft Hafina'n
griddfan. Distawrwydd. Tynnu'i chyrlar allan mae'n
siŵr. Dyna hi'n trampio mor solet â milwr ar hyd y
landin. O, mae fy mhen i'n brifo ! Efallai mai dyn y
llefrith sy'n disgwyl am ei bres. Sŵn Hafina'n llusgo'r drws
yn agored. Nid Marc sy' wrth y drws beth bynnag, neu
mi fuasai'r hen genawes wedi brathu'i ben o i ffwrdd
erbyn rŵan. Llai o glep nag arfer. Rhyw ddyn yn siarad
yn isel yn y lobi. Pwy ydy o, tybed ? Wel, mi fyddwn

ni'n gwybod a oedd hi'n falch o'i weld yn ôl faint o fargarïn a fydd ar y tôst i frecwast.

Clywed Rhiannon yn anadlu'n ddwfn ddwfn. Mae'r gwely 'ma'n gynnes braf. Rydw i'n mynd i gysgu am oriau ac oriau eto. Gobeithio nad ydy Hafina'n bwriadu rhoi brecwast buan inni am ei bod hithau wedi gorfod deffro ynghynt nag arfer. Mae'n rhaid bod y creadur yn y lobi o hyd. Dydw i ddim wedi clywed y drws yn taflu llwch i'w gefn o, beth bynnag.

"Y bitsh ! Mi oeddwn i wedi amau y buasai hi'n gwneud hyn !"

Sbonciodd Rhiannon i fyny wrth glywed Hafina'n bwrw'i llid ar ddrws y llofft.

"Pwy ddiawl sy'n cnocio, Ceri ?"

"Hafina. Brecwast buan am anghofio talu'r rhent."

"Ceri ! Rhiannon ! Ga' i ddod i mewn os gwelwch yn dda ? Mrs. Watkins sy' 'ma."

"Rhyfedd nad ydy hi ddim yn dartio i mewn fel arfer i wneud yn siŵr nad oes 'na ddim bechgyn yma."

"Cau dy geg, Ceri, neu mi clywiff hi di ! Dewch i mewn, Mrs. Watkins !"

Am funud, tybiais bod nam ar fy llygaid wrth imi weld Hafina'n ei gŵn-wisg flêr yn troedio fel ysbryd tuag at y cwpwrdd dillad. Sefyll yn ofnus ar ei thraed noeth, a'r arfwisg haearn wedi'i ddiosg oddi arni. Edrychodd Rhiannon a mi'n wirion ar ein gilydd. Penbleth gwallgofddyn yn ei llygaid. Ceisio symud ei cheg fel buwch yn cnoi'i chil, ond y geiriau'n gwrthod ymffurfio.

Credaf y buasai wedi aros yn ei hunfan drwy'r dydd pe na bai Rhiannon wedi neidio allan o'r gwely i fentro siarad â hi.

"Mrs. Watkins bach, be sy'n bod ? Eisteddwch i lawr ar y gadair 'ma. Dywedwch wrthyn ni be sy'n bod, Mrs. Watkins."

Cil-edrychodd ar y ddwy ohonom bob yn ail.

Rhiannon yn ceisio tywys y geiriau â'i llygaid.

"Dewch i lawr i'r gegin gyda fi, Rhiannon. Mae 'na blismon yma, ac mae o eisiau gair efo Ceri."

"Be ?"

Bron yn ddiarwybod imi, rhuthrais allan o'r gwely, dim ond i deimlo fy holl gorff yn simsanu. Y ddwy'n syllu arnaf. Fy ngheg yn sych sych.

"Gwell ichi roi'ch cot dros eich coban, Rhiannon, a dod i lawr y grisiau. Mi ddyweda' i wrth y plismon am ddod i fyny mewn dau funud."

Y ddwy wedi mynd.

Nid wyf yn cofio gwisgo amdanaf, ond gwasgai gwddf uchel fy siwmper yn dynn ar fy ngwddf wrth i'r plismon a phlismones di-gymeriad gerdded i mewn i'r llofft.

"Chi ydy Miss Ceri Wilson ?"

"Ia."

"Wel, Miss Wilson, mae arna' i ofn bod gen i newydd drwg ichi. Eisteddwch i lawr. Dyna chi."

Y ddau'n dawel am eiliad. Llyncu fy mhoer yn drwsgl. Damwain arall yn y pwll. O na ! Nid damwain arall yn y pwll. Edrych yn daer arnaf.

"Mae'n ddrwg gen i Miss Wilson, ond mi gafodd eich cariad, Mr. Marc Reynolds, ei ladd pan aeth ei gar i wrthdrawiad â char arall yn gynnar y bore 'ma."

Clywed y geiriau. Yr ystafell yn cau i mewn arnaf. Yn crebachu fel cneuen ffrengig. Darn o lo o do'r pwll yn disgyn ar fy mhen. Gwin eirin ysgaw yn corddi ynddo. Rhuad y rhaeadr yn dod yn nes, yn nes. Cau fy llygaid ar y pypedau cyn syrthio i mewn i'w ddyfroedd morffia.

Llais tenau'n trywanu drwy'r dŵr.

"Mae'n iawn, llewygu 'naethoch chi. Yfwch y dŵr 'ma rŵan. Mae Mrs. Watkins wedi ffonio'ch meddyg, ac mi fydd o yma toc i roi 'chydig o dabledi ichi. Mi fyddwch chi'n teimlo'n well wedyn."

Sipian y dŵr diffrwyth. Pob gewyn yn fy nghorff yn brifo. Fy ngwddf yn cael ei dylino gan grafangau di-drugaredd cyn iddynt adael un cnofa o dyndra i eplesu'n fwy-fwy yno.

"Be ddigwyddodd yn hollol ?"

"Peidiwch â phoeni'ch hun am bethau felly ar hyn o bryd, Miss Wilson."

Craffu ar waelod crwn y gwpan.

"Plïs, dywedwch rywbeth wrthyf i. Pryd y digwyddodd y ddamwain ?"

"Tua hanner awr wedi dau y bore 'ma. Mi gafodd ei ladd yn syth."

Treiddiodd y geiriau'n araf i mewn i'm hymennydd.

Ble'r oedd y radio ? Gwrando ar y newyddion. Rhyw-un wedi marw neu wedi cael ei ladd. Oes gen i ddarlith rŵan ? Nagoes, dydw i ddim yn meddwl. Mi arhosaf yn fy ngwely a gwrando ar y radio. Ond mae dyn y newyddion yn sefyll yn y llofft gan ddweud wrthyf i, dim ond wrthyf i, bod rhyw Mr. Marc Reynolds wedi cael ei ladd neithiwr pan aeth ei gar ef i wrthdrawiad â char arall. Mr. Marc Reynolds. Na, nid Marc sy' wedi cael ei ladd. Dyn y newyddion yn sefyll yn y llofft. Mi gafodd ei ladd yn syth.

"Rydw i'n meddwl y bydd yn well inni'ch gadael chi rŵan, gan fod y meddyg wedi cyrraedd. Ond mi ddown ni'n ôl yn hwyrach heddiw i ofyn 'chydig o gwestiynau ichi os byddwch yn teimlo'n ddigon da."

Dyn y newyddion yn siarad â mi.

"Oedd rhywun arall yn y car ?"

"Oedd, Mr. David Richards. Yn ffodus, dydy Mr. Richards ddim wedi cael ei anafu'n ddrwg iawn—dim ond wedi torri un fraich."

Enw Dei Richards ar y newyddion hefyd ! Mi fydd yn rhaid imi droi'r radio i ffwrdd toc er mwyn imi gael mynd yn ôl i gysgu. O, ond mae'r dyn yn dal i siarad.

"Mae'r dyn a oedd yn gyrru'r car arall wedi brifo'i goes yn ddifrifol, a dydy'r meddygon ddim yn meddwl bod llawer o obaith i'w hachub."

Saib annaturiol. Efallai'i fod wedi colli'i le ar y sgript.

"Mi ddaru ni gymryd sampl o waed Mr. Reynolds, ac mae arna' i ofn bod cyfartaledd uchel iawn o alcohol yn ei waed."

Diwedd y newyddion, ond daliai'r dyn i edrych arnaf.

Gorwedd yn fy ngwely. Rhiannon yn twtio'r gobennydd wrth siarad â mi.

"Dos yn ôl i gysgu am 'chydig bach, Ceri. Wyt ti'n ddigon cynnes, dywed ?"

Y dillad gwely'n glynu ataf, ond yr oeddwn yn oer.

"O, mae 'mhen i'n teimlo'n rhyfedd."

"Ydy, 'rydw i'n gwybod, ond mi fyddi di'n teimlo'n well ar ôl cysgu, wyddost ti. Yli, mi wna' i eistedd ar y gwely i wneud yn siŵr dy fod ti'n iawn. Cau dy lygaid, rŵan, dyna eneth dda."

Ufuddhau, a chlywed Anti Catrin ac Yncl Wil yn siarad yn ddistaw yn y gegin. Efallai mai mam sydd ar fy ngwely. Pero druan yn gorfod aros yn y cwt. Ond mae Pero wedi marw ers blynyddoedd. Do, wrth gwrs, gan nad ydyw cŵn yn byw am amser hir iawn. Mi gafodd ei ladd yn syth. Pwy ? Pero.

Rhywun yn symud yn y llofft. Y mae'n siŵr mai Rhiannon sy'n mynd i'r ysbyty i weld Dad. Rhedeg i lawr y stepiau a'r drws yn cau'n sownd ar ei hôl. O, y mae arnaf eisiau mynd adref i gysgu. Nid yw dad yn yr ysbyty'n awr, felly mi gaf i ddweud ta-ta wrth Anti Catrin. Pedol Blaci wedi dod â lwc i dad gan ei fod o wedi byw er

gwaethaf y ddamwain. Mam a dad yn fyw. Dim ond
Pero sydd wedi marw. Druan ohono !

Efallai y pryna' i gi, myn diawl. O leia', mi fedra' i roi
mwsel ar geg hwnnw a rhoi cic yn 'i din o pan fydd o'n
mynd yn afreolus. Mi gafodd ei ladd yn syth. O, mae'n
ddrwg gen i, Cer, wir mae'n ddrwg gen i mod i wedi
colli 'nhymer, ond rho gyfle imi esbonio. Dim cyfle i
wneud hynny, ond ta waeth. Mi af i'r Neuadd i'w weld
toc, ac mi fydd popeth yn iawn wedyn. Peidiwch â
phoeni'ch hun am bethau felly ar hyn o bryd, Miss
Wilson. Ha ha ! Nid wyf yn poeni er bod y plismon a
oedd yma gynnau'n dweud bod rhyw Marc Reynolds
wedi cael ei ladd. Enw Marc a Dei Richards ar y newydd-
ion. Dim ond am un nos Sadwrn, Cer. Wel dos efo'r
bechgyn !

Mae arna' i ofn bod cyfartaledd uchel iawn o alcohol
yn ei waed. Mae'n rhaid bod y gwin 'na wedi mynd i
dy ben di, Marc. Mae pawb yn gwybod bod gwin eirin
ysgaw yn un eitha' cry, ond dydy o ddim yn ddigon cry' i
feddwi dyn ar ôl iddo lyncu rhyw gegaid ohono'n unig !

Rhiannon a Mavis a mi'n gweld Marc yn boddi yn y
rhaeadr. Sugndraeth yn ein hatal rhag symud. Y gwin yn
tylino o'i amgylch. O, pam nad ydyw'n ymladd yn ei
erbyn? Pero'n cyfarth yn y pellter. Anti Catrin yn ceisio
estyn bisgedi imi, ond y mae'n rhy bell oddi wrthyf.
Hafina'n sefyll ar y bryncyn yn droednoeth. Llais mam
yn un â rhuthmau'r rhaeadr. Dad yn sgrechian fel eryr o
waelod y pwll. Dei'n pipian y tu ôl i goeden ac yn chwer-
thin am fod Marc yn gelain.

Mi gafodd ei ladd yn syth.

"Naddo Marc ! Naddo !"

    "Mae'n iawn, Ceri, mae'n iawn. Gorwedd i lawr eto.
    Dyna ti."

Teimlo'r geiriau'n llifo allan ohonof wrth imi geisio ymladd yn ei herbyn.

"Ond dydy Marc ddim wedi cael ei ladd, naddo, Rhiannon ?"

Gwasgu'i bysedd i mewn i'm hysgwyddau ac edrych ar f'aeliau yn hytrach nag i mewn i fyw fy llygaid. Siarad yn araf ac yn ofnus.

"Mi ddaru'r plismon ddweud y gwir wrthyt ti, ac mae'n rhaid iti geisio derbyn hynny. Gorffwysa am dipyn bach rŵan."

Ei chlywed megis mewn breuddwyd. O, pam yr oedd pawb yn fy herian i'n greulon o hyd ?

"Mae'n rhaid bod y plismon wedi gwneud camgymeriad mawr, wyddost ti. Ia, dyna be' sy' wedi digwydd ! Dydy Marc ddim wedi cael ei ladd ! Mae hynny'n amhosibl. Mi gei di weld y bydd o yma toc. Mi *fydd* o, Rhiannon, 'rydw i'n gwybod hynny'n iawn."

"Dy feddwl di sy'n bod yn drugarog gyda thi, Ceri."

Rhoi'i llaw oer ar fy nhalcen. Plu'n chwyrlio o amgylch fy mhen wrth iddo suddo i mewn i'r gobennydd. O, pam na wnaiff hi'u plycio oddi yno'n sydyn, gan grychu'r cnawd, dim ond er mwyn imi gael cysgu am ychydig bach ? O, rhaid imi gau fy llygaid.

   ' Amlhai y dail fel plu
    Gwaedliw, cymysgliw, du '.

     Plu. Plu. Gorffen fy nhraethawd ar R. Williams Parry cyn mynd i'r pictiwrs gyda Marc nos yfory. Mi gafodd ei ladd yn syth. Yn syth. Mi ddaru'r plismon ddweud y gwir wrthyt ti, ac mae'n rhaid iti geisio derbyn hynny.

   ' Amlhai y dail fel plu
    Gwaedliw, cymysgliw, du '.

     Gwaed dros y car. Gwaed dros y ffordd. Gwaed dros Dei a'r dyn arall. Gwaedliw. Ergyd

yn sŵn y gair. Ergyd ac yna gwaed. Marc wedi marw.
Rhaeadr o waed wedi llifo allan o'i gorff. 'Rydw i'n dy
garu di, Cer—mae'n siŵr dy fod ti'n gwybod hynny erbyn
rŵan. Teimlo fy mronnau'n cael eu gwasgu 'n erbyn ei
gorff ef. Teimlo'r gwres a oedd yn ei gorff. Marc wedi
marw ? Naddo. Naddo.

Efallai y pryna' i gi, myn diawl. Paid â bloeddio arnaf,
Marc, neu mi fydd fy mhen yn gwaethygu, ac mi fyddaf
yn crio. Dagrau a gwaed yn ymgymysgu â'i gilydd.
Gwaed tenau fel gwaed madreddog mam Mavis. A
wnaeth dy waed di gymysgu â gwaed Dei ? Yn ffodus,
dydy Mr. Richards ddim wedi cael ei anafu'n ddrwg iawn
—dim ond wedi torri un fraich. O ! yr oeddwn yn
gwybod bod Marc yn fyw ! Mae o wedi torri'i fraich
ond mae o'n fyw ! Mi gafodd eich cariad, Mr. Marc
Reynolds ei ladd . . .
    ' Amlhai y dail fel plu
     Gwaedliw, cymysgliw, du '.
       Ei ladd . . . ei ladd . . . Os gwnaiff
rhywun ofyn imi 'fory 'be' oeddet ti'n 'i wneud neithiwr ? '
mi fydd yn rhaid imi ddweud ' Wel, 'roedd Ceri yn
f'ystafell i, yn gwisgo trowsus du tyn oedd yn dangos siâp ei
choesau'n dda, a blows las gyda botymau i lawr y blaen,
ac 'roedden ni'n sôn am gychod bach duon ac am semi-
quavers heb goesa',' Semiquavers heb goesau. Y dyn arall
yn mynd i golli'i goes, ond nid Marc. Mi gafodd eich
cariad, Mr. Marc Reynolds ei ladd pan aeth ei gar i
wrthdrawiad â char arall yn fuan y bore'ma, ac mi ddaru'i
waed o gymysgu â gwaed y semiquavers heb goesau.
Ysmotyn o inc du'n llifo o goes y semiquaver. Y mae'r
pwll yn ddu, yr un lliw â gwaed y semiquaver. Wel, mi
oedd y glep yn un reit fawr, ti'n gweld, pwt, ac mi ddaru
darn bach o lo daro Dadi yn 'i dalcen. Ond mae dad yn
fyw. Mi gafodd ei ladd yn syth. Gweld y gwynt yn

chwythu drwy wallt du Marc ar ben y bryncyn. Mae arna'
i ofn bod cyfartaledd uchel iawn o alcohol yn ei waed.
Gwaed coch yn pistyllu allan o'i ben ac yn ceulo'n soeglyd
ar ei wallt.

'Gwaedliw, cymysgliw du'.
Dim lliw, dim ond du. Dûwch y pwll. Dûwch y car.
Dûwch Blaci. Dûwch ffeil dydd Llun. Dûwch gwisg y
plismon. Dûwch gwallt Marc. Mi gafodd ei ladd yn syth.
Dûwch Pero. Dûwch bag y meddyg. Dûwch y cychod
bach duon. Mi gafodd ei ladd yn syth. Dûwch y semi-
quavers heb goesau. Dûwch . . . dûwch marwolaeth?
O na ! Na, mae Marc yn fyw ! Mae Marc yn fyw !

Defnynnau o waed yn hollti croen fy nhalcen.

"Ceri ! Wnei di gymryd 'chwaneg o dabledi imi rŵan ?
Dim ond dwy arall."

Teimlo'n boeth, ac yn cael fy nallu wrth agor fy llygaid.
Rhiannon yn gwenu'n eiddil arnaf drwy'i dagrau, fel
plentyn bach a oedd yn dechrau gwenu cyn gorffen crio.

"Wyt ti'n teimlo'n well, dywed ?"

Cau fy llygaid yn dynn rhag y golau.

"Yli, mae Hafina newydd fod yma gyda phanad o
goffi iti. Wnei di'i yfed o—dim ond er mwyn 'i phlesio
hi ?"

Llusgo fy hun i eistedd i fyny. Llyncu'r tabledi, a'r
gwydr oer yn llithro yn fy llaw chwyslyd.

Sipian y coffi'n araf. Llosgodd fy nhafod. Crafangau
tân yn fy mrest. Rhwbio fy ngwefus ar ymyl y gwpan.
Y poethder yn treiddio i mewn iddi gan ei gadael yn
gwbl ddiymadferth. Dodi'r gwpan yn ôl ar y dreser.
Pigiadau bychain i'w clywed wrth i'r teimlad ddychwelyd.
Gwthiais fy mhen i mewn i fwgwd y gobennydd wrth i'r
llif dagrau foddi'r gobaith ac ysgwyd y gwirionedd o'm
meddwl.

XIII

"Mi fyddi di'n teimlo'n well ar ôl aros gartre' am ddiwr-nod neu ddau, wyddost ti, Ceri."

Atseiniodd geiriau Rhiannon yn fy mhen wrth imi eistedd o flaen y tân gan wylio'r fflamau'n rhubanu'n drist dros y glo. Glaw'n tipian ar y ffenestr. Clywed y rhaeadr yn gorlifo a'r treslau'n gwichian ar lawr gwlyb y porth.

O Marc, ble 'rwyt ti?

Bwledi glaw'n ergydio i mewn i'r pridd mor ddi-dostur â chrafangau eryr Pengwern yn suddo i gnawd gwŷr Cynddylan. Ei rieni yno mewn trans. Amdo seloffen yn tagu'r blodau, a'r inc du'n dechrau rhedeg. Na, ni ddioddefodd Heledd ei hunan yn fwy na minnau heddiw.

Y tân yn llosgi fy nghoesau, ond yr oeddwn yn rhy ddiymadferth i symud o'm cadair. Poen yn dirdynnu yn llygaid tyner fy nhad. Mam yn gwneud ei gorau glas i sgwrsio wrth bicio o amgylch y gegin i baratoi swper yn union fel pe bai popeth yn iawn.

"Tyrd i fwyta tamaid o swper gyda ni rŵan. Mae 'na sleisys o gig a thomatos yma iti. Ceisia fwyta 'chydig bach, Cer."

Cer. Cer. Paid â gadael imi ddioddef fel hyn Marc! O na Marc! Na!

Cil-edrych ar y ddau wrth y bwrdd, ond nid oeddwn yn mynd i fwyta dim i blesio neb. Paham y dylwn i wneud hynny? Teimlo'n flin, ac atgasedd tuag atynt yn berwi'n fwy-fwy ynof o hyd.

Cyllyll a ffyrc yn cloncian yn rheolaidd ar y platiau. Dad yn troi'i ben tuag ataf.

"Mi wnei di deimlo'n well o lawer os medri di fwyta rhywbeth, pwt."

Codais yn sydyn, a'r llid yn gwanu trwof.

"O Dad, mi wyt ti'r un fath â phawb arall yn disgwyl

imi wella'n syth bin, fel pe bawn i ond wedi cael annwyd, myn diawl. 'Does 'na neb yn sylweddoli sut 'rydw i'n teimlo, a bod 'na blu'n troi o gwmpas yn fy mhen i weithiau wrth imi feddwl am Marc. O, mi fydda' i'n gwironi'n y diwedd ! Mi fydda' i'n siŵr o wironi !"

Beichio wylo wrth afael yn dynn yn mam.

"Plïs paid â gadael i hynny ddigwydd, plïs."

"Wrth gwrs na wnei di ddim gwironi, Ceri. Paid â chynhyrfu dy hun rŵan, dyna ti. Cofia bod arna' i a dy dad eisiau dy helpu di bob amser. Ddaru Dad ddim meddwl dim byd, naddo Dad ?"

"Wel naddo siŵr. Dydyn ni ond yn ceisio dy helpu di, dyna'r cwbwl."

Edrychodd arnaf fel pe bai'r holl gariad a'r trugaredd a oedd ganddo i gyd yn cronni yn ei lygaid y munud hwnnw. Dyfnder yn ei ddagrau.

O, pam yr oedd yn rhaid imi fod mor gas wrth fy rhieni a oedd yn poeni amdanaf yn fwy na neb ? Ond heno, fe'm blinwyd gan bawb.

" 'Does arna' i ddim eisiau swper, diolch. 'Rydw i'n mynd i 'ngwely rŵan."

Mam yn gwenu'n amyneddgar, ond gwyddwn ei bod bron â gweiddi.

"Olreit, dos di i fyny, ac mi ddo i â llymaid o lefrith cynnes iti."

"Mam, rydw i newydd ddweud nad oes arna' i eisiau dim byd, felly pam mae'n rhaid ichi 'nhrin i fel plentyn bach a cheisio tywallt llefrith i lawr fy nghlag i, neu stwffio bwyd i mewn imi o hyd ac o hyd ?"

Rhedais i fyny'r grisiau, a chau'r bollt bach llychlyd ar ddrws y llofft. Diosg y dillad plwm oddi arnaf gan gofio am y tro diwethaf y bu ar gau. Minnau'n gweiddi nerth fy ngheg ar ôl chwarae tŷ bach am fod y bollt yn gwrthod agor, a'm tad yn gorfod benthyca ysgol Yncl Owen drws nesaf i'm hachub. Gwthio'i gorff trwsgl drwy'r ffenestr gul gan wenu arnaf o hyd.

Euogrwydd yn egino ynof wrth imi orwedd yn fy ngwely a syllu ar y drws. Eithr, nid oeddwn yn gallu goddef siarad â neb heno. Na, nid heno. Dianc oddi wrth bawb. Dianc oddi wrth fy rhieni, a Rhiannon, a Hafina, a'r plismyn, a'r meddyg, a rhieni Marc, a'r capel dieithr, a Dei. Cynddeiriogodd y plu yn fy mhen wrth i'w enw wenwyno fy meddwl. Yntau yn fyw a Marc wedi'i ladd. Crïo dagrau halltaf fy mywyd, a chrïo'n dawel.

Dagrau'n llygaid fy nhad. Gwelais ef yn sefyll yn ei gôt yn y gegin a pharsel bach yn ei law, gan led-droi'n swil oddi wrthyf i a mam.

"Pam 'rwyt ti'n crio Dad ?"

"O, y gwynt oer 'ma sy'n gwneud i'm llygaid i ddyfrio, Ceri. Mae hi'n oer y tu allan, wyddost ti."

Ew, mae'n rhaid 'i fod o wedi bod yn bell, 'chos dydy hi ddim yn chwythu yma, ac mae'r dillad yn hongian yn syth ar y lein heb symud modfedd.

"Ble 'rwyt ti wedi bod, Dad ?"

Winciodd yn slei arna' i, a deigryn bach yn gwasgu allan o'i lygad.

"Edrycha be' sy'n y bocs 'ma iti, cariad. Dyma ti."

Sbio ar y papur gwyn gyda chylchoedd pinc a glas arno am amser hir cyn ei agor. 'Doedden nhw ddim yn lapio pethau mewn papur crand fel hwn yn siop Dafis, a doedd hi ddim yn ddiwrnod pen blwydd imi 'chwaith.

"O ! Edrycha mam ! Doli ! O, mae hi'n neis. O, rydw i'n licio'i ffroc hi. Wyt ti'n 'i licio hi mam ?"

Gwenodd mam yn hanner brod arna' i 'run fath â phan fydda' i'n ennill am ganu'n 'Steddfod y Capel. Dydy hi byth yn gwenu'n braf 'r adeg honno, rhag ofn i'r mamau eraill feddwl 'i bod hi'n meddwl 'i hun. Ond pam na wnaiff hi ddim gwenu'n iawn arna'i rŵan tybed ?

76

"Mae hi'n ddel iawn, Ceri, ac mi fedri di gribo'i gwallt hi hefyd."

"Mae o'n ddu ddu, jyst fel un Mari, ac mae'n rhaid 'i bod hi wedi yfed swp o ' Ribena ', hefyd chos mae'i bochau hi'n goch. O thanciw, Dad ! Rydw i'n mynd i'w dangos hi i Pero ! Pero ! Pero ! Ty'd yma boi ! Ble mae o Mam ? Ty'd i weld Jiwdi !"

Mam a Dad yn edrych ar ei gilydd dros fy mhen. O, gobeithio nad oeddwn i'n mynd i gael waldiad am rywbeth

"Ceri . . ."

"Be' mam ?"

"Ceri, dydy Pero ddim yma rŵan, 'chos mae o wedi mynd i lawr y pwll i helpu'r ceffyla', ti'n gweld."

Dal Jiwdi gerfydd 'i thraed ac edrych yn syn ar Mam a Dad bob yn ail, ond doedden nhw ddim yn sbio arna' i.

Pero druan i lawr pwll yn y t'wyllwch ? O na Pero, na ! 'Roedd ar Pero isio aros yma efo fi. Chaiff o ddim chwara' ar y mat na chysgu llwynog i lawr pwll.

"O na, 'dwyt ti ddim wedi'i gymryd o yn y caets, naddo Dad ?"

Dad yn edrych ar Mam cyn ateb.

"Wel do, Cer, ond mae o wrth 'i fodd yno, 'chos mae o'n cael chwara' efo'r ceffyla' a'r cŵn bach eraill sy' 'na drwy'r dydd."

Taflu Jiwdi ar y llawr a chrio wrth feddwl am Pero'n rhedeg o gwmpas pobman i edrych amdana i.

"Ond mi oedd o'n licio byw efo ni, hefyd, a 'doedd o byth braidd yn fachgen drwg, dim ond weithia' pan oedd o'n rhedeg ar ôl y gwartheg. Ond 'doedd dim rhaid i'r hen ffarmwr 'na fod yn flin efo fo, chos 'roedd o ond yn *chwara'* efo nhw."

Gweld Pero'n rhedeg yn gyflym yn y cae. Du a gwyn, 'r un lliw â'r gwartheg, ond mi oedd o'n llawer llai.

Dod i mewn i'r tŷ, a'i gynffon i lawr a'i lygaid jyst â chrio wrth i mam 'i ffraeo fo unwaith eto. Ond 'doedd o byth yn dal dig.

"O Dad, *plis* wnei di fynd i'r pwll i gael Pero'n ôl? *Plis*, Dad, *Plis*. Mi gei di gymryd Jiwdi'n ôl i'r siop os gwnei di."

Mam a Dad yn ddistaw, ac am funud meddyliais ei fod am fynd i lawr yn y caets i ddweud wrth Pero am ddod adre' efo fo'n syth, a bod Pero'n ysgwyd 'i gynffon ac yn llyfu llaw Dad wrth iddyn nhw ddod i'r lan. Rhedeg yr holl ffordd adre', a fi'n rhoi dysglaid o ddŵr oer iddo fo, ac yn gwrando ar y dŵr yn sboncian i mewn i'w geg. Ond tynnodd Dad 'i got oddi amdano.

Siaradodd yn ddistaw ac yn garedig â fi, fel pe bawn i'n fabi bach.

"Ceri, pwt, fedrwn ni ddim nôl Pero o'r pwll, 'chos mae o wedi gwneud lot o ffrindia' newydd yno, ond yli, coginia di 'chydig o'r teisenna' neis 'na iddo fo, ac wedyn mi gaiff o a Blaci de parti bach iawn efo'i gilydd."

Cicio Jiwdi'n wyllt wrth imi redeg allan i'r buarth, a'r dagrau'n powlio i lawr fy wyneb. Rhedeg a rhedeg nes imi syrthio ar y rhaw fawr yr oedd y gwynt wedi'i chwythu oddi ar y wal.

Na, nid oeddwn wedi gweld fy nhad yn crïo ers yr holl flynyddoedd hynny tan heno. Heno. Heno. Heno. Mi gafodd eich cariad, **Mr. Marc Reynolds** ei ladd. O Marc, fy nghariad i!

Un tristwch sylfaenol yn magu cadwyn o dristwch. O, ble 'roedd ei ddolen wanaf? Gorfod byw heb Marc, nid yn unig am heno, eithr am byth. Am byth. Gorfod ceisio'i anghofio.

Ond weithiau, rydw i'n dal i gredu 'i fod yn fyw.

Mae Marc yn gelain.

Celain. Celain. O na, Marc, na!

Unwaith eto, troellodd y plu yn fy mhen wrth i'r gair atseinio drwof mor bendant â symbalau. Celain. Gair caled, oer, fel rhaeadr o rew.

Rydw i'n dy garu di, Cer—mae'n siŵr dy fod ti'n gwybod hynny erbyn rŵan.

Cau fy llygaid yn dynnach, fel pe bawn yn ceisio gwthio'r plu allan o'm pen. Ymylon fy llygaid yn grasboeth.

Mi ydw i'n dy garu di, Cer, a dyna'r gwir.

O, bydd yn ddistaw, Marc, *plis*. Mae fy mhen i'n brifo'n ofnadwy, wyddost ti, Marc.

Olreit, gorffwysa rŵan. Gorffwysa tan y bore.

Y bore ? O na ! Paid â gwneud imi feddwl am y bore.

Gorffwysa, Cer, gorffwysa.

Arafodd y plu'n raddol, a daeth rhyw esmwythyd dros fy nghorff. Teimlais yn gynnes braf wrth imi orwedd yn fy ngwely a chlywed mam a dad yn sgwrsio'n hamddenol ar ôl y stem bnawn. O, mi oedd popeth yn iawn ! Nid oedd Marc wedi marw, er ei fod wedi fy ngadael i am eneth arall. Na, nid oedd wedi marw !

"Ceri . . ."

"Be, mam ?"

"Ceri, dydy Marc ddim yma rŵan, 'chos mae o wedi mynd i ffwrdd gyda rhyw eneth arall."

Marc yn fyw ! Marc yn fyw ond wedi fy ngadael.

"O na, dydy o ddim naddo Dad ? Wnest ti mo'i weld o'n mynd, naddo ?"

"Do, Cer, ond cofia 'i fod o'n caru'r ferch 'ma, ac mae o'n hapus iawn gyda hi."

"Ond mi oedd o'n fy ngharu i hefyd, a 'doedden ni byth braidd yn ffraeo—dim ond weithiau am ryw fân-bethau."

Distawrwydd. Am eiliad, dychmygais mai wedi fy

ngadael am eneth arall yr oedd Marc, eithr rhuthrodd y rhaw o flaen fy llygaid a chwalwyd y breuddwyd yn deilchion.

XIV

"Dyna ti, Ceri, crïa di gyda fi. Mi fyddi di'n teimlo'n well wedyn."

"Wna' i byth wella, Mam. Mae'n rhaid iti ddeall hynny."

"Mi wnei di wella mewn amser, cariad. Cofia bod 'na ferched eraill wedi colli'u cariadon cyn hyn, a rhieni wedi colli'u plant hefyd, ond maen nhw wedi gwella mewn amser, wyddost ti. Yli, mae 'na baned o de iti'n fan 'ma, ac mae Nain wedi coginio teisen yn arbennig i ti."

Yr oeddwn wedi syrffedu slotian te allan o gwpanau gorau pan nad oedd syched arnaf, ac wedi syrffedu bwyta bwydydd a baratowyd yn arbennig imi, dim ond i gael blas fel brywes heb bupur a halen ar bopeth a edrychai mor ddanteithiol.

"Ceisia beidio â hiraethu gormod ar dy ben dy hun, cariad, gan na wnaiff hynny ddim daioni o gwbwl iti. Rhanna dy faich gyda fi a dy Dad, Ceri."

*   *   *

"Wel, Ceri, mi ydych chi wedi yfed o'r cwpan wermod yn fuan iawn yn eich bywyd, ond gweddïwch am nerth, fy ngeneth i, a chofiwch bod yr Arglwydd gyda chi yn wastadol. Trowch ato Ef i deimlo'i riniau sanctaidd yn gwella'ch clwyfau."

"Diolch i chwi, Mr. Jones."

★   ★   ★

"O, rydw i'n falch dy fod ti wedi dod 'nôl i Fangor, Ceri, ond mae'n rhaid bod wythnos adre' wedi gwneud daioni iti,—rwyt ti'n edrych yn well o lawer yn barod."

"Mae arna' i ofn na fydda' i ddim yn gwmni da iawn i ti'n ystod yr wythnosa' nesa' 'ma."

"O, paid â phoeni am hynny ! Mi wyt ti'n ôl, a dyna'r peth pwysica'. Mi wnei di wella'n ara' deg—mae Mavis wedi gwella'n rhyfeddol. Rhaid i'r tair ohonon ni fynd allan gyda'n gilydd un noson. Mi wnaiff o fyd o les iti."

"Gwnaiff, mae'n siŵr."

★   ★   ★

"O, Ceri *druan* ! 'Roedd yn ddrwg iawn gen i glywed am—wel am y ddamwain. Mae'n debyg dy fod ti wedi torri dy galon yn ddwy, gan dy fod ti a Marc wedi cael eich *gwneud* i'ch gilydd, yn union fel fi a Stevie, os ca' i ddweud hynny ! Rŵan, cofia Ceri, tyrd i'r Neuadd unrhyw adeg y bydd arnat ti eisiau sgwrs. Tyrd cyn wyth o'r gloch, os medri di, gan ein bod ni'n mynd allan wedyn. O druan ohonot Ceri ! Ond mi wnei di wella mewn amser."

★   ★   ★

"Wel, wyt ti bron â drysu wrth wrando ar bawb yn ceisio cydymdeimlo â thi'n gwbwl ddi-glem, dywed ?"

"O, mae'n dda gen i dy weld ti, er mwyn imi gael siarad â rhywun arall sy wedi bod drwy'r felin hefyd."

"Paid â meddwl 'mod i'n gallu dy helpu di, Ceri, gan na all neb ddeall teimladau a hiraeth 'i gilydd yn iawn. Rydw i wedi gwella'n eitha' da ar ôl Mam, ond mae o'n waeth o lawer iti. Paid â disgwyl gwella mewn dau funud. Mi gymerith amser hir. Amser hir a phoenus, ac efallai na ddei di byth drosto'n iawn."

★   ★   ★

"O . . . helo . . . helo Ceri. Mi oedd . . . wel mi oedd yn ddrwg gen i . . . gen i glywed am . . . wel am Marc. Rhaid imi fynd rŵan—rydw i ar frys."

"Ta-ta, Siân."

★   ★   ★

" 'Roedd yn ddrwg iawn gen i glywed am eich profedigaeth."

★   ★   ★

"Mi oedd yn ddrwg calon gen i glywed am Marc."

★   ★   ★

"Mi oedd yn ddrwg gen i glywed am eich cariad."

★   ★   ★

"Mi oedd yn wirioneddol ddrwg gen i glywed am y ddamwain."

★   ★   ★

"Rhowch ddigon o amser i'ch hun i wella."

★   ★   ★

"Mi wnewch chi wella mewn amser, mi gewch chi weld."

★   ★   ★

"Mae'n rhaid i glwy gael amser i wella."

★   ★   ★

"Dwyt ti ond ifanc, ac mi wnei di wella mewn amser."

★   ★   ★

"Cofiwch bod amser yn gwella pob clwy'."

★   ★   ★

"O leia', ddaru o ddim diodde'n ofnadwy."

★   ★   ★

"Diolcha na wnaeth o ddim diodde' am amser hir."

★   ★   ★

"Mi gafodd fy chwaer 'i lladd mewn damwain hefyd."

★   ★   ★

"Mi gafodd fy nhad 'i ladd mewn damwain yn 'i gar y llynedd."

★   ★   ★

" 'Rwyt ti'n edrych yn well, Ceri."

★   ★   ★

" 'Rydych chi'n edrych yn well yn barod."

★   ★   ★

" 'Rydych chi'n cryfhau o hyd."

★   ★   ★

"Paid â disgwyl gwella ar unwaith."

XV

Nos Sadwrn. Rhiannon wedi mynd allan. Dau ddarn deuswllt yn aros eu tro'n amyneddgar ar ben y tân nwy. Hafina wedi cymryd Emlyn i'r pictiwrs. Fy ngwely cyn daclused â gwely mewn ysbyty. Gwneud cwpanaid o goffi dim ond er mwyn lladd amser. Ei adael ar ôl yfed un cegaid ohono'n unig. Dim blas darllen. Dim blas dechrau'r traethawd. Pum munud wedi naw.

Tybed beth y mae Rhiannon a phawb arall yn ei wneud ?

Pam na fuaset ti wedi mynd allan gyda nhw ?

Wn i ddim.

Cerdded yn araf o amgylch yr ystafell. Y cloc yn stopio. Syllu drwy'r ffenestr ar ddiddymdra'r tywyllwch. Cau'r llenni'n sydyn rhag iddo bryfocio f'unigrwydd.

Pawb yn heidio tuag ataf yn ystod yr ychydig wythnosau cyntaf, ac yna'n anghofio am fy modolaeth. Neb yn fy neall. Neb yn gwrando ar fy nghri unig.

Diffodd y tân. Teimlo'n falch bod diwrnod arall wedi dod i ben. Cadw'r deusylltau yn fy mhwrs tan yfory. Tynnu fy nillad a rhoi fy nghoban amdanaf. Esmwythâd pur megis gwisgo sliperi melfed ar ôl cerdded am filltiroedd mewn esgidiau tynn. Gwynder fy mhais yn gorchuddio llwydni'r gadair. Hyrddio'r ddelwedd wen i mewn i ben pella'r drôr. Diffodd y golau. Y dillad gwely'n cau cyn dynned â hiraeth amdanaf.

"O, 'rwyt ti'n hardd, lolyn. Mi wna' i gymryd gofal ohonot ti, wir."

Pob mymryn o euogrwydd yn diflannu. Teimlo'n fechan ac yn ddel wrth i'w gorff cadarn bwyso'n f'erbyn. Mwynhau clywed yr holl nwydau'n ymystwyrian drwof. Cusanau eiddgar, barus. Gwasgu fy mronnau'n dyner, a'u gogleisio'n araf. Sipian, sipian, yn ofalus. Cusanu a byseddu fy holl gorff.

O na, Marc ! Nid wyt ti wedi cael dy ladd ! Mae pawb yn dweud celwyddau wrthyf i, ond yr wyf yn gwybod o'r gorau dy fod ti'n fyw. Mi rydw i'n dy garu di, Marc,—coelia fi Marc, plîs, coelia fi. Tyrd at fy ngwely i er mwyn imi gael profi hynny iti. Paid â bod yn flin gyda mi am ein bod ni wedi ffraeo. O, mae'n ddrwg gen i am bopeth, fy nghariad i, ond paid â gorchymyn pawb i gymryd arno dy fod

ti wedi marw, dim ond er mwyn fy nghosbi i.
Mae arnaf eisiau dy weld ti, Marc. Mae arnaf eisiau
clywed blas dy gusanau di unwaith eto. O, tyrd ataf i,
Marc, tyrd ataf i.

Mi gei di weld fy nghorff i, Marc. Mae fy nghorff i'n
ddel ac yn lluniaidd, ac mae arno d'eisiau di. Mae
arno d'eisiau di rŵan, Marc.

   Mae'n ddrwg gen i Miss Wilson, ond mi gafodd
eich cariad, Mr. Marc Reynolds ei ladd . . .
Nid ydwyf am wrando ar y lleisiau hynny mwyach,
gan fy mod yn gwybod eu bod yn dweud celwyddau
wrthyf. Ond weithiau mae arnaf ofn eu clywed yn
baldorddi'n iasoer yn fy mhen. Hyd yn oed pan
fyddant yn dawel mi fyddaf yn lled-ddisgwyl iddynt
lamu'n ôl yn sydyn, bron yn ddiarwybod imi, fel
gwreichionen yn picio allan o dân tawel, gan losgi
twll yn y mat, a thwll yn nhalcen Dad, a thwll yn fy
meddwl i. Tyrd yn ôl ataf i, Marc, er mwyn imi gael
chwerthin yn wyneb pawb a dweud wrthynt dy fod
ti'n fyw! Chwerthin yn wyneb Rhiannon, a Mavis,
a Mam, a Dad, a Laura, a Hafina, a Siân, a'r darlithwyr,
ac Anti Catrin, a'r plismyn, a'r meddyg, a'r gwein-
idog. Chwerthin i ganol wyneb Dei. O, mi chwar-
ddaf fel gwallgofddyn yn ei wyneb yntau.

   Mi gafodd ei ladd yn syth.

O Marc, paid â gadael imi ymladd yn eu herbyn hwy
oll ar fy mhen fy hun !

   Mi gafodd ei ladd yn syth.

Naddo ! Naddo ! Edrycha mor ddel yw fy nghorff i.
Tynna fy nghoban i ffwrdd i'm hanwesu.

   'Rydw i'n dy garu di, Cer. Rydw i'n dy garu di.
   O 'rwyt ti'n hardd, lolyn.

Mae'r lleisiau'n fy nrysu i ! O, mae fy mhen i'n
brifo ! Marc, Marc, fy nghariad i !

'Rwyt ti'n hardd, lolyn. Mi wna' i gymryd gofal ohonot ti, wir."

O, mi fyddaf yn mynd yn wallgof toc ! Pam na wnân nhw dewi ? Ble'r wyt ti Marc ? Paid â gadael imi ddioddef fel hyn !

Mae dy gusanau di'n flasus heno.

Cusana fi eto, ac eto, ac eto ! Paid â 'ngadael i'n sydyn byth eto, *plis* Marc, *plis*. Mae'n ddrwg gen i am bopeth, ond a wnei di faddau imi ?

Mae popeth yn iawn, pwt. Mae dy hunllef di wedi gorffen. 'Rydw i'n dy garu di. O, 'rydw i'n dy garu di.

Paid â mynd oddi wrthyf Marc . . . Marc . . .

O, 'rwyt ti'n hardd, lolyn. 'Rwyt ti'n hardd.

Marc !

Eisteddais i fyny'n sydyn gan ochneidio a chuddio fy mhen yn fy nwylo chwyslyd a chrynedig. Chwys oer yn diferu arnaf. Clywed fy hun yn anadlu'n gyflym yn y tywyllwch.

Mae'n iawn, Ceri. Wedi blino 'rwyt ti. Gorffwysa rŵan, dyna eneth dda.

Ond mae arnaf ofn y lleisiau mileinig hynny.

Nid oes gennyt ti ofn clywed llais Marc, nagoes ?

Nagoes, mewn gwirionedd, ond mae lleisiau eraill yn ymgymysgu â'i lais ef yn union fel pe bai rhywun yn cymysgu gwenwyn i mewn i'm meddwl. O, pam y mae'n rhaid iddynt fy chwipio mor ddi-drugarog o hyd ?

Hiraeth sy'n dy boeni di, Ceri. Hiraeth—ac euog-rwydd hefyd. Rydw i'n dy garu di hefyd, Marc. Hy !

O cau dy geg ! Cau dy geg ! Yr ydwyf wedi cael fy mrifo hen ddigon heb i tithau ddechrau fy ngwawdio i, felly cau dy geg.

Dim ond dweud y gwir yr ydwyf i. Hiraeth ac euogrwydd. Dyna'r pethau sy'n dy boeni di. Hiraeth ac euogrwydd—ac ofn hefyd.

XVI

Ysgrechiai'r gerddoriaeth rhwng fflachiadau'r goleuni amryliw yn y lolfa fawr. Oren, gwyrdd, glas, melyn, coch, piws, yn cael eu rhewi am eiliad cyn iddynt hedfan fel cadachau yn nwylo dewin gan daflu crafangau o liw ar y dorf a oedd yn dawnsio yng nghanol y llawr, a'r rhai hynny, megis Rhiannon, a Mavis, a mi, a safai'n ddidaro yn ymyl y wal.

Rhiannon yn llowcio'i fodca i lawr fel pe bai hi'n eneth fawr, a'i hunig amcan oedd dangos inni, blantos, sut i yfed.

" 'Dwyt ti erioed wedi gorffen y ddiod 'na'n barod, naddo ? Mi wyt ti wedi cael tri mewn rhyw chwarter awr. Paid â meddwl 'mod i wedi dod yr holl ffordd i Fangor dim ond i dy weld ti'n meddwi."

"Oes arnat ti eisiau diod arall, neu wyt ti'n mynd i sipian honna fel rhyw hen wreigan drwy'r nos ?"

"Rydw i'n iawn."

"Ceri ?"

"Rydw i'n iawn hefyd, diolch iti."

Trôdd oddi wrthym gan gerdded yn bendant tuag at y bar. Rhyfedd bod ei hagwedd wedi newid tuag at Mavis, a thuag ataf innau hefyd, o ran hynny.

Huw Roberts yn cymryd trugaredd arnaf.

"Tyrd i ddawnsio, Ceri."

Teimlo fel doli bren er fy mod yn ceisio ymddangos fel pe bawn yn mwynhau fy hun. Mwynhau fy hun fel pawb arall. Mwynhau fy hun fel Laura a Stevie yn y gornel acw.

O, pa bryd yr oedd y ddawns hon am orffen ? Sgrechiadau aflafar yn gwanu drwy'm clustiau. Lliwiau'n llamu oddi wrthyf. Wyneb Huw'n troi'n las, yn wyrdd, yn biws, yn oren, yn goch. Sgrechiadau, sgrechiadau'n gwanu, gwanu, gwanu'n ffieiddiach o hyd.

Gorfod dianc. Gwau a gwasgu drwy'r dorf.

Clywais ddefnynnau o gysur yn toddi'r hunllef wrth imi eistedd i lawr ar fy mhen fy hun mewn lolfa fechan gyfagos. Yn awr, nid oedd y ddawns ond megis atsain. Atsain o fyd gwahanol. Minnau'n lliw ar wahân. Lliw di-gymeriad nad oedd yn gosod ei arlliw ei hun ar neb arall.

Paid â phoeni am hynny, Ceri. Mi wnei di wella mewn amser, wyddost ti.

Ond pam nad oeddwn yn gallu aros yn y lolfa fawr heno ?

Mi wyt ti'n gwybod yr ateb i'r cwestiwn hwnnw'n iawn.

Miwsig yn suo'n araf yn y pellter. Aroglau cwrw a mwg yn stelcian mewn lliw ambr golau. Ambr mymryn tywyllach, ambr cyfoethog, ambr tywyll tywyll, cyn i gawod o sêr arian wibio drwy'r hud.

"Dyma be' ydy dawns go iawn—gwell o lawer na'r sothach gwirion 'na ar y dechrau pan oedden ni'n dawnsio rhyw filltir oddi wrth ein gilydd."

Chwarddais yn isel. Gafael ynof yn dynn gan ogleisio a chusanu fy ngwddf.

"Mi wyt ti'n edrych yn andros o ddel heno, wyddost ti."

"Rydw i bob amser yn edrych yn ddel."

O, yr oeddwn wrth fy modd yn ei herian, yn enwedig pan deimlais ef yn fy ngwasgu'n dynnach tuag ato am fod mor ddi-gywilydd â beiddio gwneud hynny.

Eithr gwyddwn o'r gorau fy mod yn edrych yn ddeniadol yn fy ffrog newydd binc a ddangosai siap fy

nghorff yn dda. Cyffyrddodd yn ysgafn â'm gwallt hir
golau, a'r miwsig yn suo, yn suo, o hyd.

Cloch fain drws y ffrynt yn chwistrellu drwy'r moeth-
usrwydd.

Mi gafodd ei ladd yn syth.

O, ni wnaiff y lleisiau byth ddistewi ! Ond rhaid
imi geisio dianc i rywle oddi wrthynt. Mi af i
Faesgwyn—at Mam a Dad.

Ha ha ! Nid oeddit ti'n gallu siarad â dy rieni y tro
diwethaf y buost ti adref, ac ni byddai dim byd yn
wahanol y tro hwn ychwaith. Ni fedri di ddianc i
unman Ceri ! Mi fydd y lleisiau, a'th broblemau, a'th
euogrwydd, a'th ofnau'n dy ganlyn di o hyd.

Ond ni allaf oddef byw yn y lle hwn, gan fod
pawb, hyd yn oed Rhiannon, wedi newid.

Tydi sydd wedi newid.

Pam na chaf i ddrysu'n gyfangwbl yn lle loetran
ar y ffin ? Ceisio ymddwyn fel pawb arall am
ysbeidiau, dim ond i glywed fy meddwl yn cael
ei rwygo'n gyrbibion unwaith eto gan y lleisiau.
Mae popeth wedi newid er dy farwolaeth, wyddost
ti, Marc.

Paid â meddwl am y gorffennol. Mae'n hen bryd iti
wynebu ffeithiau.

*   *   *

Rhuthrodd Rhiannon i mewn i'r llofft yn wên o glust i
glust.

"O, mi wyt ti'n effro."

"Nac ydw. Rydw i'n dal i gysgu'n braf."

"Ew ! Mi wyt ti'n gellweirus iawn i feddwl 'i bod hi

bron yn ddau o'r gloch y bore ! Hei, gyda phwy y buost ti yn y ddawns ? Welais i mohonot ti ar ôl imi fynd i brynu diod."

Clywais y glaw'n tipian yn araf ar y ffenestr wrth imi orwedd yn fy ngwely. Teimlo'n glyd ac yn ddiogel. Nid oeddwn am darfu ar yr ychydig ddiddanwch hwn trwy gofio am y boen a fu'n fy nghnoi a chyfaddef wrth Rhiannon fy mod i wedi bod yn eistedd yn y lolfa fach ar fy mhen fy hun.

"Wel, gyda phwy y buost *ti* ? Dyna'r cwestiwn pwysica'."

Eisteddodd ar erchwyn fy ngwely a'i llygaid yn pefrio. Ambell ddiferyn o law ar ei hwyneb, eithr edrychai'n rhy hapus i sylweddoli eu bod hwy yno.

"O, mi fues i gyda bachgen sy'n cymryd Hanes—Wynford ydy'i enw o. Rydw i'n mynd allan gyda fo eto nos yfory. Mae o'n andros o bisin."

"Cymro ydy o ?"

"O ia, o Sir Feirionnydd. Efallai dy fod ti wedi'i weld o'n rhywle. Bachgen tal, gyda 'sgwyddau llydain a gwallt du fel y frân."

"Rydw i wedi'i weld o sawl gwaith—yn y catalogau lliwgar 'na sy'n hysbysebu gwyliau yn Sbaen. Mae'n siŵr 'i fod yntau'n meddwl dy fod tithau'r un mor berffaith â'r merched sy'n y lluniau hefyd !"

"Wel, coelia di fi, *mae* o'n bisin, felly paid â bod yn genfig . . ."

Gwelais ei hwyneb yn gwrido, a fflachiodd ofn sydyn i'w llygaid fel plentyn bach a oedd arno ofn cael cweir gan ei dad.

"O Ceri . . ."

Byddwn wedi gweiddi pe bai rhywun wedi dweud ' mae'n ddrwg gen i ', wrthyf unwaith eto.

"Paid Rhiannon. Dydw i ddim mor groen-denau â hynny."

Am un funud hir disgwyliodd y naill ohonom yn awyddus i weld gwefusau'r llall yn symud. Fel arfer, Rhiannon a dorrodd y rhew.

"Rydw i'n meddwl y gwna' i banad o goffi. Gymeri di un ?"

"Os gweli'n dda."

Trois o gwmpas yn fy ngwely gan sylweddoli bod yr hud twyllodrus wedi'i chwalu unwaith eto.

Dyna drueni'i bod hi wedi tawlu'r drol, gan dy fod ti'n gwneud yn dda cyn hynny.

Wel, o leiaf, yr oeddwn i'n gallu siarad â hi mewn modd eithaf naturiol. Holi am ei chariad diweddaraf fel pe bai'n holl bwysig. Ond wrth gwrs, actio'r oeddwn i. Tybed a ydyw Mavis yn actio hefyd ? Na, mae hi wedi gwella. Mi wnaf innau wella toc.

Tybed Ceri ? Tybed ?

"Oes arnat ti eisiau'r coffi'n dy wely ?"

"Oes, os gweli'n dda. Mae hi'n rhy oer i godi."

Yfed y coffi er nad oedd yn boeth iawn a bod rhimyn budr ar wefus y gwpan. Fodd gynnag, gwell oedd gennyf ei lowcio'n eiddgar nag ymlafnio i dynnu sgwrs â Rhiannon.

O, pam nad oeddwn yn gallu siarad â'm cyfaill gorau ? Pam yr oedd yn rhaid i'r ddwy ohonom ymdrechu dim ond er mwyn cynnal sgwrs dila, arwynebol ?

Cil-edrych arni'n eistedd yn y gadair. Hithau'n fy nal.

"Mae 'na ddawns arall nos Sadwrn wyddost ti,—mae Mavis am ddod, felly tyrd di hefyd i'r tair ohonon ni gael amser iawn."

"Mi fydd hynny'n werth chweil."

Ni allaf wynebu dawns arall.

Efallai y gwnei di fwynhau dy hun y tro nesaf.

"Ydy dy goffi di'n ddigon poeth, dywed ?"

Fflamiodd fy wyneb wrth i'r talp o neis–neisrwydd wenu arnaf o hyd. Taro'r gwpan ar y dreser gan deimlo pob gewyn yn fy nghorff yn tynhau.

"'R Arglwydd Mawr, Rhiannon, pam ddiawl na wnei di gau dy geg ? Mae'r ddwy ohonon ni'n gwybod o'r gora' bod agendor mawr rhyngon ni erbyn hyn, felly paid â cheisio ymddwyn fel pe na bai affliw o ddim byd wedi digwydd. Rydw i wedi syrffedu'n lân ar yr holl sefyllfa ffals."

Fy nghalon yn dyrnu'n fwy-fwy wrth imi'i gweld yn maldodi'r gwpan yn ei dwylo, a'i llygaid yn gwbl ddi-fynegiant. Dim ond yr haen o dawelwch a awgrymai'i bod hi wedi fy nghlywed.

"Wel, pam na ddywedi di rywbeth ?"

Cododd o'i chadair a daeth i eistedd ar fy ngwely.

"O Ceri, wedi blino 'rwyt ti, dyna'r cwbwl."

"Na, mae pawb a phopeth yn y lle 'ma wedi newid, ac erbyn hyn mae'n amhosibl bron i'r ddwy ohonon ni fyw o dan yr un gronglwyd."

"Ond mi ydyn ni'n ffrindiau o hyd, ac mi fydd petha'n siŵr o wella mewn amser, wyddost ti."

Ei llais yn llifo ag amynedd, eithr fe'm brifwyd gan ei geiriau teg. Yr oeddwn yn ddigon parod i'w tharo.

"Pam ddiawl na fedri di daflu'r gwirionedd i wyneb rhywun am unwaith yn dy hanes ? Pam na ddywedi di'n blwmp ac yn blaen dy fod ti wedi cael llond bol arna' i ? 'Rydw i'n gwybod yn iawn nad ydw i'n ddim byd ond niwsans parchus sy'n gwneud iti deimlo braidd yn euog pan fyddi di'n mynd allan i fwynhau dy hun, a minnau'n dewis aros i mewn i hel meddyliau. Ond dyna fo, mae Marc wedi marw, ac mae popeth wedi newid."

"O, pam y mae'n rhaid iti geisio brifo dy hun o hyd, dywed ?"

"Rydw i'n dweud y gwir, Rhiannon."

Trôdd oddi wrthyf gan symud tuag at y dreser mor urddasol â phe bai'n cerdded at allor. Brwsio'i gwallt hir yn araf araf. Yn y drych, gallwn ei gweld yn plethu'i gwefusau fel pe bai'n ceisio tywys y geiriau allan o'i cheg, eithr ni ddeuent.

"Beth bynnag, 'does dim rhaid iti fy ngoddef am lawer hwy. Mi fydd yn rhaid imi fynd oddi yma toc gan 'mod i'n disgwyl babi."

Anadlais yn gyflymach wrth glywed y geiriau'n treiddio drwy'r tyndra a oedd yn fy mrest. Ias o ryddhad cyn i'r gwirionedd feichio'n ei ôl arnaf. Popeth yn farw o'm hamgylch. Dim ond sŵn y glaw yn dal i dipian ar y ffenestr.

XVII

Yr oedd y drws yn gil agored. Cerddais i mewn. Yr un hen ystafelloedd bychain. Bwrdd a desg a gwely a dwy gadair a chwpwrdd dillad a phob math o bosteri wedi'u plastro ar y waliau emwlsiwm.

Rhywun yn chwibanu ym mhen pellaf y coridor. Dod yn nes ac yn nes ataf.

"Wel, myn diawl, dyma lwc ! Mynd allan i brynu sigarets a dod yn ôl i weld geneth brydferth yn disgwyl amdana' i ! Un rhybudd bach iti, cariad,—os wyt ti'n meddwl rhedeg ata' i i 'nghusanu i, gwylia nad wyt ti ddim yn cyffwrdd â'm mraich chwith i, 'chos mae hi'n dal i'm mhoeni i 'chydig bach."

"Paid â chwyno, gyfaill."

94

Sefyll yn stond yng nghanol y llawr gan dybied fy mod i wedi dechrau gwallgofi *cyn* i Marc gael ei ladd.

"Yli, Ceri, 'stedda i lawr yn lle dy fod ti yno fel doli botyn. Oes arnat ti eisiau sigaret, dywed ?"

"Nagoes."

"Wel, mi gymera' i un, beth bynnag. Hei, 'rydw i'n gwybod bod hyn yn anodd iti gan 'mod i'n y car gyda Marc, a'i fod yntau wedi cael 'i ladd, a phetha' felly . . ."

"Dydw i ddim wedi dod yma i sôn am Marc, Dei, dim ond i ddweud wrthyt ti mod i'n disgwyl dy fabi di."

Edrychais arno'n chwerthin i mewn i fyw fy llygaid. Chwerthin ac yna chwythu mwg y sigaret i fyny i'r awyr. Cryndod oer yn fy ngogleisio wrth imi glywed fy llaw'n clecian ar draws ei wyneb. Yntau'n chwerthin o hyd.

"Duw Mawr ! Dyna jôc dda !"

Trois fy nghefn arno a syllu drwy'r ffenestr. Goleuadau'r tai'n gwenu arnaf. Goleuadau'r ceir yn wincian rhwng y coed. Sŵn lori fawr. Sŵn rhaeadraidd y drafnidiaeth. Bywyd yn ei anterth, a Dei'n chwerthin am fy mhen.

"Hei, mae gennyt ti wyneb rhy ddel imi orfod edrych ar dy dïn di. Tro tuag ata' i am funud. Disgwyl fy mabi ! Ha ha !"

"Wrth gwrs, Dei, mi oeddwn i'n disgwyl iti wadu popeth—gwadu popeth a ddigwyddodd yn yr ystafell yma y noson honno ar ôl y disco pan oedd Marc yn sâl. Ia, dyna ti, Dei, gwada di bopeth."

"Dydw i ddim yn gwadu be' ddigwyddodd y noson honno. Do, mi ddigwyddodd, ac mi ddaru'r ddau ohonon ni'i fwynhau o. Ond y rheswm pam 'rydw i'n chwerthin, Ceri, ydy dy fod ti mor blydi siŵr mai 'mabi i 'rwyt ti'n 'i gario ac nid babi Marc. Dyna be' sy mor chwerthinllyd !"

"Dydy o ddim yn bosibl mai babi Marc ydy hwn."

"Pam ?"

"Paid â phoeri'r cwestiwn ata' i fel hynny."

"Olreit, cariad, olreit. Mi wna' i siarad yn neis neis â thi, yn union fel y buasa' Marc wedi'i wneud erstalwm. Ia, siarad yn neis neis. Pam Cer ? Pam Cer ? Wnei di f'ateb i rŵan, ynteu a wyt ti'n rhy swil i sôn am betha' felly efo fi ? Tyrd, Ceri, dywed wrthyf i nad oedd Marc yn ddigon o foi . . ."

"Cau dy geg, y cythraul sbeitlyd."

"Ia, mi ydw i'n gythraul, onid ydw i Ceri ? Ond dyna be' 'roeddet ti'n 'i hoffi ynof i—mi oedd 'na dipyn o fin ar fy mhersonoliaeth innau."

Cynddeiriogodd y plu yn fy mhen.

"Dydw i ddim yn mynd i amddiffyn Marc yn erbyn dy sothach di."

"Na, paid â'i amddiffyn o, Ceri, ond paid â theimlo'n euog am hynny gan na ddaru yntau erioed d'amddiffyn di 'chwaith. 'Doedd o ddim hyd yn oed yn ddigon o fachgen i hynny."

"Mi oeddwn i'n 'i garu o."

"Hy ! Mi wnest ti brofi hynny'n iawn pan ddaru ti neidio i mewn i'r gwely 'na gyda mi. Na, rhyw ddegan bach cyfleus oedd Marc, er dy fod ti, efallai, yn ystod yr wythnosa' diwetha' 'ma wedi cyflyru dy hun i feddwl dy fod ti'n 'i garu o mewn gwirionedd."

Edrychais arno'n gwenu arnaf fel pe bai'n gwbl sicr ei fod wedi taro'r hoelen ar ei phen.

" 'Dwyt ti ddim yn iawn, wyddost ti, Dei. Dydw i ddim wedi cyflyru fy hun i feddwl hynny, ond wedi sylweddoli 'rydw i, er 'i bod hi'n rhy hwyr, fy mod i'n 'i garu o."

"Wel, dyna drueni nad ydy o yma rŵan i dy helpu di. Gresyn na fuasa' 'mhen i wedi cael 'i falu'n deilchion yn lle 'i ben o."

"Ia, a 'mhen innau a phen dy fabi di gyda thi."

XVIII

Teimlais mor oer ac anghysurus yn fy ngwely â phe bawn yn gorwedd o dan fat ar lawr cerrig. Clywed Rhiannon yn anadlu yn y gwely arall. Chwarae teg iddi hi am aros i mewn gyda mi heno, eithr serch hynny nid oeddwn wedi gallu sôn wrthi am yr hyn a ddywedodd Dei Richards.

Nid oes unman yn yr holl fyd y medri di ddianc iddo erbyn hyn. Yr wyt ti wedi cael dy ddal mewn trap.

Mae cwningod yn marw mewn trap. O, pam na allaf innau farw hefyd ? Efallai eu bod hwy wedi gwneud camgymeriad yn y Clinic. Positive. Positive.

Ceisia fynd i gysgu, Ceri.

Positive. Yr ydwyf yn mynd i gael babi. Ceri Wilson yn disgwyl babi. O na, nid yw'n bosibl. Mi gafodd ei ladd yn syth. Babi Dei'n tyfu yn fy nghroth. Pob dydd, pob wythnos, pob mis, fe fydd yn datblygu'n fwy fwy, ac nid oes neb yn gwybod, dim ond Rhiannon a Dei.

A ti.

O ie, yr ydwyf innau'n gwybod. O pam na ddaw'r misglwyf ? Mae'n rhaid bod y babi mor faleisus â'i dad. Babi Dei. Babi Dei Richards. Ond y mae'n rhy hwyr iti gael erthyliad. Ha ha ! Fe fydd yn rhaid iti ddweud wrth dy rieni dy fod ti'n feichiog, wyddost ti.

Plis paid â gwneud imi feddwl am hynny'n awr ! Mi gafodd ei ladd yn syth. Cyfartaledd uchel iawn o alcohol yn ei waed.

O Marc, pam na all y babi farw hefyd ? Pam Marc, pam ? Ni allaf wynebu holl boen ei ened-

igaeth gan wybod mai gwaed Dei a fydd yn llenwi'i
wythiennau bach.

Cofia y bydd dy waed di'n gymysg â gwaed Dei.

' Gwaedliw, cymysgliw, du.

Gwaedliw, cymysgliw, du.

Gwaedliw, cymysgliw, du '

O, bydd yn ddistaw.

Y noson honno yng ngwely Dei. 'Rwyt ti'n hardd,
lolyn. 'Rwyt ti'n hardd, lolyn.

Pam na allaf weiddi dros yr holl ward fel mam
Mavis yn lle fy mod i'n gorfod dioddef ar fy mhen
fy hun o hyd? Beth a allaf ei wneud, Marc?
O helpa fi! Yr wyf yn dy garu di, Marc—mae'n
rhaid iti fy nghredu i. Mae'n ddrwg gennyf am
bopeth, fy nghariad i, wir, mae'n ddrwg gennyf.

Dos i gysgu, Ceri.

Nid oes neb yn fy neall. Rhiannon yn cysgu'n braf.
Dei yn y gwely gyda rhyw eneth arall. Neb yn fy
neall. Neb, Marc, neb.

Wyt ti'n siŵr, Cer?

Marc? Yr wyf yn gallu clywed dy lais . . .

Gorffwysa, Cer. Dos i gysgu tan y bore. Dyna ti.
Gorffwysa rŵan.

"Gest ti amser iawn yn yr ysgol heddiw, Ceri?"

"Do diolch, mam."

Nid oeddwn yn mynd i fwyta pwdin byth eto. Codi'r
cwstard i fyny ar y llwy a'i dollti'n araf dros y darten.
Gwneud yr un peth eto ac eto ac eto. Mam yn edrych
arnaf dros ymyl ei chwpan de. Mae'n siŵr ei bod hi'n
meddwl fy mod i'n teimlo'n sâl neu rywbeth.

"Oedd Mari yno heddiw?"

"Oedd."

"Rydw i'n siwr dy fod ti'n licio chwara' efo Mari 'chos
mae hi'n eneth fach mor neis—'dwyt ti ddim yn meddwl?"